Anruf von der PI Landshut beim Eberhofer Franz. Dr. Küstner, zu fünfzehn Jahren Haft wegen Mordes verurteilt, ist aus dem Gefängnis entflohen und muss rasch wieder eingesammelt werden. Doch obwohl der Franz dem Küstner quasi schon auf der Spur ist, geschehen merkwürdige Dinge in Niederkaltenkirchen: Das halbe Dorf wird nach dem Verzehr von Omas Rotweinkuchen ins Krankenhaus eingeliefert, Termiten belagern das Büro vom Franz, und wer ist bitte dieser »Cousin«, mit dem die Gattin des Richters in Bad Wörishofen gesehen wurde? Währenddessen läuft Dr. Küstner noch immer frei herum …

Rita Falk, geboren 1964 in Oberammergau, lebt mit ihrem Mann, einem Polizeibeamten, in München und hat drei erwachsene Kinder. Mit ihren Provinzkrimis um den niederbayerischen Dorfpolizisten Franz Eberhofer hat sie sich in die Herzen von Hunderttausenden von Lesern geschrieben. Bayerisch unverblümt ermittelt der Eberhofer auch in ›Winterkartoffelknödel‹ (<u>dtv</u> 21330), ›Dampfnudelblues‹ (<u>dtv</u> 21373) und ›Grießnockerlaffäre‹ (<u>dtv</u> 24942) – und die leckeren Originalrezepte von seiner Oma gibt's gratis dazu. Weitere Informationen unter www.franz-eberhofer.de und www.rita-falk.de

Rita Falk

Schweinskopf al dente

Ein Provinzkrimi

Deutscher Taschenbuch Verlag

Von Rita Falk
sind im Deutschen Taschenbuch Verlag erschienen:
Winterkartoffelknödel (21330)
Dampfnudelblues (21373)
Hannes (24910)
Grießnockerlaffäre (24942)

Ausführliche Informationen über
unsere Autoren und Bücher
finden Sie auf unserer Website
www.dtv.de

Ungekürzte Ausgabe 2013
© 2011 Deutscher Taschenbuch Verlag GmbH & Co. KG,
München
Umschlagkonzept: Balk & Brumshagen
Umschlaggestaltung: Lisa Höfner unter Verwendung von Fotos von
gettyimages und Gallery Stock
Satz: Greiner & Reichel, Köln
Druck und Bindung: Druckerei C. H. Beck, Nördlingen
Gedruckt auf säurefreiem, chlorfrei gebleichtem Papier
Printed in Germany · ISBN 978-3-423-21425-4

Kapitel 1

So ein Stern kommt gut, ganz klar. Natürlich nur, wenn er in Silber ist. Nein, Gold kommt noch besser. Hab ich aber nicht. Was ich hab, ist Silber. Seit gestern. Seit gestern hab ich einen einzigen silbernen Stern auf jedem meiner Schulterstücke. Und ein silbernes Mützenband.

Einwandfreie Sache.

Ein silberner Stern ist tausendmal besser als vier grüne. Und so einen silbernen hab ich jetzt. Dank der Beamtenreform. Da ist ihnen einmal wirklich was Gutes eingefallen, den Herren Gschaftel und Huber, wo die wunderbaren Reformen machen. Normal fällt ihnen ja eher nix Gescheites ein. Eher so was wie Einfrierung der Gehälter oder Streichung des Urlaubsgeldes. Aber diesmal – astreine Sache.

Ich steh so vorm Spiegel und bin ziemlich zufrieden. Erstklassiger Stern. In Silber. Wobei man sagen muss: Wenn das Licht aus der Dielenlampe drauf fällt, glänzt er ganz leicht golden. Aber nur ganz leicht. Was freilich wurst ist, weil: er schaut auch so gut aus. Reißt die miese erbsengrüne bayerische Uniform unglaublich raus. Wir hier unten in Bayern müssen halt aus wirtschaftlichen Gründen immer noch diese kackefarbenen Fetzen auftragen. Nicht etwa so, wie die anderen Kollegen bundesweit, die in elegantem Blau auf Verbrecherjagd gehen. Nein. Wir machen das in Kacke. Was freilich dann schon auch wieder vernünftig ist. Ja, wirklich. Wir halten eben unser Geld noch zusammen, gell. Und hauen's nicht für personifizierte Eitelkeiten auf den Kopf. Wir fangen unsere Gangster auch in Kacke, keine Frage. Ja, und das Silber ist halt jetzt eine großartige Aufwertung. Und es bedeutet Kommissar. Kommissar Eberhofer. Das hat schon was. Anders als Hauptmeister Eberhofer. Ganz anders.

Dann klopft die Oma ans Fenster.

»Das Frühstück ist fertig, Bub«, schreit sie, dass man sie gut noch im Nachbardorf hören kann. Sie ist halt schon taub, und manchmal vergisst sie wirklich, dass nicht die komplette Menschheit ihr Schicksal teilt. Ich mach das Fenster auf und steck mir die Finger in die Ohren.

»Mei, war ich vielleicht recht laut?«, fragt sie jetzt ein paar Dezibel drunter.

Ich nicke. Dann mach ich das Fenster wieder zu und geh in den Hof hinaus. Mitsamt meiner Uniform. Mal schauen, was sie sagt.

Sie sagt überhaupt nichts. Sie schaut mich noch nicht einmal an. Sie wandert einfach an meiner Seite durch den Hof, so, als wär alles genauso wie sonst. Ist es aber nicht. Schließlich bin ich jetzt ein Kommissar, und das ist gut sichtbar. Sehr gut sogar. Selbst für die Oma, weil: ihre Augen sind ja noch einwandfrei. Ich geh ziemlich langsam. Das muss sie doch merken. Tut sie aber nicht. Sie geht einfach nur genauso langsam.

Unglaublich.

Wie wir in die Küche kommen, sitzt der Papa schon am Frühstückstisch und liest seine Zeitung. Er quetscht sich ein »Morgen« über die Lippen und schaut noch nicht einmal auf. Aber gut, da hab ich sowieso nichts anderes erwartet. Wenn es nämlich im Leben vom Papa außer den Beatles, Joints und Sauen noch irgendwas anderes gibt, was ihn interessiert, dann ist es die Samstagszeitung. Weil die halt quasi sein gesamtes Interessengebiet abdeckt. Komplett. Immer wieder mal ein netter Bericht über Paul McCartney, ständig was über Schweine auf der Landwirtschaftsseite und die Drogenszene kommt auch nicht zu kurz. Was will man mehr? Da ist die Beförderung des eigenen Sohnes doch wohl ein nasser Furz dagegen.

»Unglaublich«, sagt er und schüttelt den Kopf. »Da hat wieder so ein Studierter, ein Herr Psychologe sogar, sein Weib brutal abgemurkst und streitet natürlich alles ab. Ein Gutachter soll jetzt zugezogen werden. Dass ich nicht lache! Eine Krähe hackt der anderen kein Auge aus«, sagt er, faltet die Zeitung und legt sie auf den Tisch. »Weißt du etwas über den Fall, Franz?«

»Nein, keine Ahnung. Schließlich bin ich nicht bayernweit aktiv«, sag ich und stehe noch immer ziemlich unschlüssig und zugegebenermaßen auch etwas angepisst herum. Da schaut mich endlich die Oma an. Sie ist grad im Begriff, sich hinzusetzen, und hat die Kaffeekanne in der Hand, wie sie mich eben jetzt anschaut.

»Himmel, Franz!«, schreit sie ganz begeistert und setzt sich nieder. »Du schaust ja wunderbar aus! Genau wie ein General!«

»Himmel Arsch!«, schreit dann der Papa und reißt seine Zeitung in die Höh. Weil die Oma vor lauter Hurra jetzt direkt den Kaffee verschüttet hat. Exakt über die wertvolle Lektüre von meinem Erzeuger. Er versucht, das Malheur in seiner Tasse zu versenken, indem er eine Rinne formt. Mit seiner geliebten Samstagszeitung. Ein Jammer.

Der Papa gibt auf. Legt das nasse Blatt beiseite und widmet mir endlich die Aufmerksamkeit, die mir auch zusteht.

»Höhöhö, alles in Silber. Kann das womöglich eine Beförderung sein?«

Ich nicke.

»›Kommissar‹ heißt das Silber. ›Kommissar Eberhofer‹, sozusagen.«

Dem Papa entweicht ein Grinserl. Ein stolzgeschwängertes, würd ich mal sagen. Er steht auf.

»Ja, dann gratulier ich dir recht herzlich, Kommissar Eberhofer«, sagt er, haut mir auf die Schulter und schüttelt mir dann die Hand.

Die Oma steht jetzt auch wieder auf, und nachdem sie die Pfütze vom Tisch gewischt hat, ist sie an der Reihe. Sie gratuliert mir ebenfalls, und ich krieg ein Bussi auf jede meiner Backen.

Dann gibt's endlich das Frühstück.

Ah – alles vom Feinsten. Mit frischen Semmeln und weichen Eiern, einem mageren Frühstücksspeck, der selbstgemachten Marmelade von der Oma und einem erstklassigen Früchtequark, freilich auch aus eigener Herstellung.

Alles wäre jetzt perfekt gewesen, wenn nicht kurz drauf dem Leopold sein Auto in den Hof hineingequietscht wär. Und das mein ich wörtlich. Er rast in den Hof, dass der Kies nur so fliegt, und drückt dann auf die Bremse, bis die Beläge qualmen. Typisch.

Die Augen vom Papa sprühen Funken. Freudenfunken, versteht sich.

»Da schau einer an, jetzt kommt auch noch dein Bruder. Geh, Franz, tu ihm ein Gedeck aus dem Küchenkasten. Magst?«, sagt der Papa.

Nein, der Franz mag nicht. Tut es aber trotzdem. Zwengs Familienharmonie eben.

»Servus, miteinander«, sagt der Leopold, gleich wie er zur Tür reinkommt. »Ah, Frühstück. Ja, da komm ich wohl grad recht.«

So schnell kann man gar nicht schauen, da hockt er auch schon am Tisch.

»Da, schau her, Oma, was ich dir mitgebracht hab«, sagt er und legt ihr ein Kochbuch hin. Internationale Küche. Wahrscheinlich wieder so ein Ladenhüter aus seiner blöden Buchhandlung. »Damit du nicht immer den gleichen bayrischen Scheißdreck kochen musst, gell«, sagt er weiter.

Die Oma freut sich, weil sie ja den Schwachsinn nicht hört, den er absondert.

Ich reich ihm sein Geschirr.

»Ja, Franz, wie schaust denn du aus? ... Wie ein Christbaum«, lacht er. »Nein, ehrlich, wie ein Christbaum.«

Das soll mich treffen. Tut es aber nicht. Weil es vom Leopold kommt. Und der Leopold ein Arschloch ist.

»Der Franz ist jetzt ein Kommissar«, sagt der Papa, um die Lage zu entschärfen.

»Sag bloß?«, sagt der Leopold und beißt in eine Marmeladensemmel. Es ist meine.

»Ja, sag einmal, geht's noch«, fahr ich ihn an. »Schmier dir doch deine blöden Semmeln selber!«

»Du, was anderes«, sagt er dann zum Papa gewandt. Mich ignoriert er komplett.

Dann erfahren wir, dass er gestern in einem Reisebüro war, wegen den Urlaubsplänen für sich und seine Familie. Und, dass es ein Fiasko war. Ein Fiasko sondergleichen, sagt er. Die Angebote quasi unter aller Sau. Weil das eine zu teuer, das andere zu weit weg und das dritte ungeeignet für kleine Kinder. Also keine Möglichkeit, die sauer verdienten Moneten in ferne Länder zu tragen.

Aber heut Nacht, sagt der Leopold, heut Nacht, hatte er eine großartige Idee. Weil: heut Nacht ist ihm nämlich das perfekte Urlaubsparadies eingefallen, für sich und seine Lieben. Und das auch noch direkt vor der eigenen Haustür.

»Lass hören«, sagt der Papa ganz interessiert.

»Urlaub auf dem Bauernhof«, sagt der Leopold kauenderweise.

»Das klingt gut«, sagt der Papa weiter und schaut seinen Älteren aufmunternd an.

»Klingt gut?«, kaut der Leopold. »Das klingt phantastisch!«

Beide nicken.

Kommt da jetzt noch irgendwas, oder war das etwa schon das Highlight in seinem popeligen Leben? Ich setz mich wieder dazu, weil nur noch eine einzige Semmel im Korb liegt. Und die heißt es zu sichern, eh die gefräßige Verwandtschaft erbarmungslos zuschlägt.

»Und wohin soll's gehen?«, will der Papa jetzt wissen.

Der Leopold strahlt ihn an, dass es eine wahre Freude ist.

»Ja, zu euch natürlich«, sagt er und schnappt sich die letzte Semmel.

»Nur über meine Leiche!«, schrei ich jetzt und reiß ihm die Semmel aus der Hand. Dann steh ich auf und geh. Dann kehr ich wieder um und nehm den ganzen Frühstücksspeck mit.

Schnurstracks hinaus, Tür zu und fertig.

Den Rest vom Wochenende verbring ich mit dem Ludwig in der freien Natur. Weil der nämlich aufgrund übermäßigen Frühstücksspeckkonsums einen Mordsdurchfall kriegt, was für Hund und Herrchen gleichermaßen ärgerlich ist.

Wie ich am Montag Früh in mein Büro fahr, hab ich selbstverständlich auch wieder die Uniform an. Obwohl ich das normal nie mache. Immer Zivilklamotten. Jeans und Lederjacke, und alles ist perfekt. Aber jetzt will man freilich auch mal zeigen, was man erreicht hat, auf seinem harten Weg nach oben. Drum eben Uniform.

Zuerst einmal hol ich mir einen Kaffee. Die drei Verwaltungsschnepfen ratschen grad fleißig, zwei davon sind über ein Handarbeitsheft gebeugt. Die dritte hat ein Strickzeug in der Hand und zählt Maschen. Ja, es ist schon ein Scheißstress in der Gemeindeverwaltung von Niederkaltenkirchen.

»Einen wunderschönen guten Morgen, Mädls«, sag ich so beim Reingehen und schlendere zur Kaffeemaschine.

»Ah, du weißt also schon Bescheid, Franz«, sagt dann das Strickzeug, und ich weiß nicht im Geringsten, wovon sie redet.

»Ich weiß nicht, wovon du redest«, sag ich und schenk mir einen Kaffee ein.

»Ja, wegen deiner Uniform halt. Weil der Bürgermeister gesagt hat, er braucht dich heut unbedingt in Uniform.«

»So, so, hat er das gesagt.«

Sie nickt.

»Vielleicht schaust gleich einmal bei ihm im Büro vorbei«, sagt sie weiter und wendet ihren Blick von den Maschen auf die Uhr. »Er müsste eigentlich schon da sein.«

»Ja, wenn er schon da sein müsste, dann schauen wir halt einmal rüber, gell«, sag ich und bleib noch einen Augenblick an der Bürotür stehen. Aber nix. Kein Wort über mein Silber. Sie haben es nicht mal gemerkt, die blöden Weiber. Stattdessen starren sie begeistert auf die Gebrauchsanweisung ihrer Wollverwertung. Aber was will man da auch anderes erwarten? Von Verwaltungsangestellten. Seien wir doch einmal ehrlich, so arg viel Hirn brauchst jetzt da nicht für diesen Job. Und schon gar nicht bei uns in Niederkaltenkirchen.

Ich geh also rüber zum Bürgermeister, und da – eine völlig neue Situation.

»Ja, Eberhofer«, sagt er und steht gleich einmal auf. »Kommen S' rein. Lassen Sie sich anschauen. Hervorragend … ehrlich, ganz hervorragend schauen Sie aus.«

Er geht einmal komplett um mich rum und schaut mich von oben bis unten an. Das tut schon gut, wirklich.

»Ja, ja, ich hab's schon gehört. Kommissar Eberhofer, gell. Hört sich doch gleich ganz anders an, hähä. Und wie das schon ausschaut, ehrlich. Wie ein Offizier und Gentleman, muss ich direkt sagen. Ja, mein Großvater, Gott-hab-ihn-selig, der hat auch immer gut ausgeschaut seinerzeit. Wissen's schon, damals in seiner Offiziersuniform. Schneidiges Mannsbild, wirklich. Da könnte man tatsächlich neidisch werden, gell«, lacht er versonnen und setzt sich dann hinter seinen Schreibtisch. »Aber lassen wir das, Eberhofer. Zwecks was ich Sie eigentlich brauche, ist Folgendes. Die Özdemirs im Tannenweg, die kennen Sie doch auch, oder? Der Jüngere spielt Fußball im FC Rot-Weiß. Erstklassiger Mittelfeldspieler. Schießt beidfüßig. Wunderbare Technik, vielleicht haarscharf am Ballack vorbei. Aber leider zu dick. Fünfzehn Kilo, würd ich mal sagen.«

Er tastet seinen Ranzen ab. »Also, was ist, die kennen S' doch, oder?«

Ich zuck mit den Schultern.

»Ja, was heißt jetzt da kennen. Gesehen hab ich sie schon so ein paarmal. Aber kennen direkt tu ich sie nicht.«

»Das wird sich jetzt aber ändern, Herr Kommissar. Und da ist es geradezu hervorragend, dass Sie heute die Uniform tragen. Weil: bei den Türken, da macht das halt schon noch was her, gell. Besonders jetzt, mit so viel Silber.«

»Und was genau soll ich bei denen?«, frag ich und setz mich derweil auf seinen Schreibtisch. Das mach ich manchmal. Besonders gern, wenn er was von mir will, der Herr Bürgermeister. Das gibt mir ein unglaublich gutes Gefühl. Irgendwie überlegen halt.

Und dann erfahr ich, dass der Ältere der Özdemirs, also quasi der Vater, eine Anzeige bekommen hat. Und zwar von seiner eigenen Tochter. Weil er die nämlich zwangsverheiraten möchte. Mit einem Cousin zweiten Grades. Die ganze Familie wusste darüber Bescheid. Nur leider die zukünftige Braut nicht. Und genau in dem Moment, wo die dann urlaubsweise in die Türkei fährt, schenkt ihr ein Onkel reinen Wein ein. Holt sie vom Flughafen ab und sagt ihr gleich klipp und klar, was Sache ist. Was er von ihr erwartet und mit ihm natürlich die ganze restliche Sippschaft. Und was macht das Kind, das undankbare? Rennt, kaum in Ankara angekommen, pfeilgrad zur deutschen Botschaft und zeigt sie alle an. Den Vater, den Onkel, den Bräutigam und den kompletten Türkenclan halt. Der, ganz im Gegensatz zu ihr selbst, freilich informiert war über die dubiosen Hochzeitspläne.

Ja, und meine ehrenwerte Aufgabe ist es jetzt, den Teil der Familie zu verhören, der halt hier in Deutschland bei uns im Dorf so wohnt. Gut, sag ich zum Bürgermeister, das dürfte kein Problem werden. Schließlich leben wir hier nicht mehr im Mittelalter. Und wenn die Özdemirs in unserem wunderbaren Land sein wollen, dann sollten sie schon auch unsere Regeln einhalten. Da kann man doch nicht einfach so mir nichts, dir nichts ein junges, hübsches Ding an einen übrig gebliebenen Vetter verscherbeln, oder? Ja, wo kämen wir denn da hin!

Der Bürgermeister schaut mich dankbar an, und ich schüttel ihm gönnerhaft die Hand. Ich werd die Sache regeln, sag ich. Gar keine Frage.

Kapitel 2

Die Özdemirs wohnen in einem alten Bungalow, einem Relikt aus den frühen Siebzigern, und sie wohnen zur Miete dort. Den Eigentümer kenn ich, der baut alle zehn Jahre neu, weil ihm das alte Haus immer zu schäbig wird und er es dann eben vermietet. Und weil er das Haus jeweils im Urzustand vermietet, kriegt er halt auch keine gescheiten Mieter, gell. Höchstens Sozialhilfefälle. Oder eben Türken. Wobei man ja schon sagen muss, den Türken fällt so was ja gar nicht auf, glaub ich. Ich war nämlich schon einmal in der Türkei und weiß genau, wie die dort hausen. Da ist ja dieser grindige Bungalow praktisch das reinste Neuschwanstein dagegen. Das muss man jetzt schon einmal sagen.

Ich steh also vor der Haustür und läute. Es hat noch mal zu schneien angefangen, was Anfang März natürlich nervt, aber gut.

Die Tür geht auf, und wenn mich nicht alles täuscht, ist es der übergewichtige Fußballgott, der mir jetzt gegenübersteht. Ich komm gar nicht erst zu Wort, nein, er bittet mich nämlich gleich weiter und zwar auf Deutsch.

»Guten Morgen, Herr Kommissar. Ich bin der Murat. Kommen Sie rein, kommen Sie doch«, sagt er und geht vor mir her durch die Diele. Ich weiß gar nicht recht, wie mir geschieht, und folge ihm trotzdem auf Schritt und Tritt.

Wir betreten das Wohnzimmer, und ich muss ehrlich sagen, dass mir jetzt beinah die Luft wegbleibt. Perserteppiche, wohin man schaut, in mehreren Schichten auf dem

Boden, dass man direkt mit dem Fuß einsinkt. Auch an den Wänden, Teppiche in wunderbaren Farben und Mustern, dazwischen Plastikblumen, soweit das Auge reicht.

Auf einer Eckcouch, die außerordentlich niedrig ist, sitzt ein Mann im Kleid und raucht eine Wasserpfeife. Wie er mich sieht, steht er auf, unglaublich langsam zwar, fast zeremoniell, aber immerhin erhebt er sich. Das zeugt von Respekt. Dann klatscht er in die Hände, und wie aus dem Boden gewachsen steht plötzlich eine kleine Frau vor ihm, und sie trägt ein Kopftuch. Er flüstert ihr was zu, und sie entschwindet auf die gleiche Weise, wie sie grad erschienen ist. Bisher bin ich noch immer nicht zu Wort gekommen.

»Herzlich willkommen in unserem bescheidenen Heim, Herr Kommissar. Bitte nehmen Sie doch Platz«, sagt er, deutet auf das Sofa und nimmt seine vorherige Position wieder ein.

Jetzt bin ich einigermaßen überrascht, muss ich sagen. Nicht nur dieses ganze Willkommens-Trara, sondern auch, dass sie meinen Dienstgrad erkennen. Damit hätt ich nicht gerechnet. Dann setz ich mich auf die tiefen Polster und versinke darin. Im Grunde kann ich kaum über meine Knie drüberschauen.

Die Frau von eben wächst wieder aus dem Boden, und diesmal hat sie einen Tee dabei. Es ist wohl Pfefferminze, jedenfalls riecht es danach. Sie stellt das Tablett auf einem winzigen Tisch genau vor uns ab und löst sich wieder in Luft auf.

Der Hausherr beginnt einzugießen. Und das ist jetzt ein Theater, das kann man gar nicht glauben. Er hält die Tee-kanne in schwindelerregende Höhen und gießt ein Glas halbvoll. Dann schwenkt er die Kanne, schüttet das halbe Glas wieder zurück, übrigens aus der gleichen Höhe, und schwenkt erneut. So geht das ein paarmal. Mir wird schon ganz schwindelig von der ganzen Höhe und dem Geschwenke, aber schließlich überreicht er mir ein randvolles Glas. Wir prosten uns zu, was bei Pfefferminztee vielleicht ein bisschen dämlich ist, aber gut.

Schmecken tut er aber ganz großartig, der Tee. Wobei jetzt Tee vielleicht nicht unbedingt mein Lieblingsgetränk ist. Nein, gar nicht. Den trink ich höchstens einmal, wenn ich krank bin. Sehr krank natürlich. Aber der hier ist gut. Da gibt's nix zu deuteln.

Es hilft aber alles nix, weil: Dienst ist Dienst, drum fang ich jetzt an.

»Herr Özdemir, es liegt eine Anzeige gegen Sie vor. Von Ihrer Tochter Medine. Die behauptet, Sie wollten sie zwangsverheiraten in der Türkei. Damit liegt der Tatbestand der Nötigung vor. Das macht in unserem wunderbaren Staat eine Haftstrafe von sechs Monaten bis zu langen zehn Jahren. Ist Ihnen das klar?«

Er fängt wieder an zu schwenken und gießt nach.

»Herr Kommissar, wenn Sie erlauben, davon verstehen Sie nichts«, sagt er ruhig und freundlich.

»Das ist mir jetzt aber persönlich vollkommen wurst, ob ich davon was versteh oder nicht. Tatsache ist jedenfalls, dass Sie sich damit strafbar machen«, sag ich jetzt ebenso ruhig, wenn auch nicht ganz so freundlich, und trinke meinen Tee.

Draußen in der Diele läutet das Telefon, wird aber sofort abgenommen. Der Hausherr gießt Tee nach. Und mir schlafen bei dem niedrigen Gehocke langsam, aber sicher die Haxen ein.

»Sehen Sie, Herr Kommissar, meine Tochter Medine ist mein kleiner Engel. Sie war schon immer mein kleiner Engel. Gehorsam, brav, klug …« Er schaut ganz versonnen in sein Teeglas, sagt eine Weile nichts, und weil mir zwischenzeitlich auch nichts einfällt, fährt er schließlich fort.

»Ja, klug war sie wirklich. Das war wahrscheinlich auch das Unglück daran. Wissen Sie, Herr Kommissar, wir leben seit über zwanzig Jahren hier in Ihrem großartigen Land. Meine Kinder sind hier zur Welt gekommen und auch zur Schule gegangen. Medine war eine kluge Schülerin. Sie hat das Abitur gemacht. Und hat sich dafür noch nicht einmal besonders anstrengen müssen.«

Er legt wieder eine Gedenkminute ein, und ich trink derweil meinen Tee.

»Ja«, sag ich dann, weil wir so gar nicht weiterkommen. »Das nutzt Ihnen aber jetzt auch nichts. Selbst wenn das Mädchen noch so gescheit ist, kann man sie nicht so einfach mit jemandem verkuppeln, verstehen Sie? Zumindest nicht bei uns da.«

Der Özdemir steht auf und geht zum Wohnzimmerschrank. Holt ein Album heraus und setzt sich wieder hin. Darin blättert er kurz und nimmt dann ein Foto heraus.

»Medine«, sagt er und reicht es mir rüber.

Jesus Christus!

Ich muss mich kolossal zusammenreißen, hier nicht das Schreien zu kriegen. Auf Anhieb wird mir klar, warum dem Özdemir diese Heirat so wichtig ist.

Mein kleiner Engel.

Der arme Mann.

Hat eine Tochter, die ausschaut wie der Glöckner von Notre Dame. Oder zumindest wie eine Schwester davon. So was hat auf dem freien Markt natürlich keine Chance. Nicht die geringste.

»Sie studiert Politik«, sagt der gepeinigte Vater jetzt. Sie studiert also. Na, wenigstens etwas. Da ist ja noch nicht Hopfen und Malz verloren. Weil, sagen wir einmal so, hässlich sein allein reicht eben nicht aus, gell. Da muss man sich schon noch was anderes einfallen lassen. Schließlich muss man ja irgendwann einmal von irgendwas leben. Und wenn man keinen Mann abkriegt, muss man halt seine Kohlen selber verdienen. Außerdem lenkt so ein Studium ja auch ungemein ab. Sogar vom eigenen Spiegelbild.

Der Fußballgott kommt ins Zimmer und macht ein betretenes Gesicht. Sein Vater deutet ihm an, sich hinzusetzen, und er gehorcht.

»Was ist los?«, fragt er den Sohnemann.

Der senkt seinen Blick genau auf das herrliche Teppichmuster.

»Hassan hat angerufen«, sagt er.

Der Özdemir nickt.

Der Jüngere hebt kurz den Kopf, lässt ihn aber gleich wieder plumpsen.

»Hassan möchte keine Heirat mehr«, sagt der Murat dann weiter. »Er hat sich mit Medine getroffen und ausgesprochen.«

Pause. Beide schweigen.

Ich schau hin und her zwischen den betretenen Gesichtern, und mir schwant etwas.

»Wie lange haben sich denn der Hassan und die Medine nicht mehr gesehen?«, muss ich jetzt wissen.

»Sie haben sich überhaupt noch nie gesehen«, sagt der Murat.

Ja, das war ja eigentlich klar.

»Wunderbar«, sag ich und quäl mich aus den tiefen Polstern. Meine Beine kribbeln, ich kann sie kaum mehr spüren. »Dann hat sich das ja wohl erledigt, mit der Anzeige, gell. Weil: wenn beide nicht mögen, dann wird's ziemlich schwierig, Herr Özdemir.«

Aber ich glaub, er hört mich schon gar nicht mehr. Er hält die Hand vor die Augen und hat den Kopf gesenkt. Schaut vermutlich das herrliche Teppichmuster an. Da weiß ich jetzt gar nicht, warum der so schaut: Immerhin studiert die Schwester vom Glöckner doch Politik. Da wird sie schon für sich selber sorgen.

Der Murat bringt mich zur Tür und will mich dort dann umarmen. Das weiß ich aber zu verhindern. Ich schüttel ihm die Hand und sag, er soll sich um seinen Vater kümmern. Das will er tun.

Schon wie ich in den Streifenwagen steig, merk ich es deutlich. Die Blase drückt. Der Tee muss raus. Und zwar schleunigst. Also Blaulicht an und Sirene. Und mit Karacho zurück ins Büro. Jetzt haben wir ja bei uns im Rathaus natürlich nur ein Männerklo. Was auch für den Bürgermeister und mich normalerweise völlig ausreichend ist. Anders ist es heute. Heute nämlich pressiert's mir dermaßen, und akkurat jetzt hockt der Bürgermeister auf dem Thron.

Na bravo.

»Eberhofer?«, schreit er mir durch die Klotür her.

»Ja, ich bin's«, ring ich mir mit zusammengepressten Beinen heraus. Ich steh so vorm Waschbecken und betrachte im Spiegel mein verzerrtes Gesicht. Hoffentlich muss er nur bieseln. Die Geräusche allerdings lassen einen deutlich größeren Umfang erahnen.

»Und, wie ist es gelaufen bei Ihren Türken?«, dröhnt es zu mir raus.

»Wunderbar. Alle sind wieder friedlich, und die Anzeige ist Geschichte«, quetsch ich jetzt über die Lippen.

»Ja, das hab ich mir schon gedacht, dass Sie das hinkriegen. Allein schon, weil Sie so gut ausgeschaut haben heut.«

»Brauchen S' noch länger, Bürgermeister?«

»Ja, wissen S' Eberhofer, das kann man schlecht sagen, gell. Nach meinem Darmverschluss vor ein paar Jahren muss ich halt schon immer ein bisschen vorsichtig sein. Da hab ich übrigens eine Mordsnarbe davon. Wollen S' die mal anschauen?«

Ich schüttel den Kopf.

»Nein«, stöhn ich, und mir drückt's das Wasser in die Augen. Drüber im Damenklo hör ich lautes Gelächter. Dieser Fluchtweg ist also deutlich versperrt.

»Was ist denn los mit Ihnen? Ist es Ihnen vielleicht eilig?«, tönt's jetzt wieder durch die Klotür.

»Nein, jetzt nimmer«, sag ich und lass grad den Tee ins Waschbecken ab. Eine immense Erleichterung macht sich in mir breit. Bei aller Liebe. Aber vor einem beidseitigen Nierenversagen muss die Hygiene halt hinten anstehen.

Zum Mittagessen fahr ich heim und hoff, dass die Oma was Schönes gekocht hat. Dieser ganze Pfefferminzgeschmack hängt mir noch immer derart in der Gurgel und beeinträchtigt sogar meinen Geruchssinn ganz enorm. Selbst das wunderbare Essen im Ofen von der Oma kann ich nicht erschnüffeln. Alles riecht heut einfach nach Minze. Ich mach den Tisch zurecht und setz mich dann erwartungsfroh nieder. Was es wohl Feines gibt? Der Papa kommt rein und setzt sich ebenso erwartungsfroh nieder. Was uns aber dann tatsächlich erwartet, sind englische Lammkoteletts in Minzsoße. Das Rezept ist aus dem nagelneuen Kochbuch vom Leopold. Und es ist einfach ekelhaft. Ekelhaft und völlig ungenießbar. Selbst die hammermäßigen Bratkartoffeln, wo die Oma immer schon macht, schmecken heut einfach nur minzig. Ich kann's beim besten Willen nicht essen, geh rüber zum Mülleimer und kipp das Zeug weg. Der Papa tut's mir gleich. Und obwohl die Oma ansonsten sehr empfindlich ist, was ihre Kochkunst betrifft, folgt auch ihr Tellerinhalt prompt den unseren. Das neue Kochbuch fliegt gleich hinterher.

»So ein Haufen Arbeit wegen nix. Das kann er recht schön selber fressen, der gescheite Leopold«, knurrt die Oma.

»Ich hol uns ein paar Warme beim Simmerl«, sag ich.

»Mach das«, sagt der Papa.

Und dann bin ich auch schon weg.

»Servus, Simmerl«, sag ich, gleich wie ich die Metzgerei betrete.

»Ja, Eberhofer, was ist denn mit dir los? Wieso hast denn heut dein Kasperlgewand an?«, fragt der Simmerl und meint offenbar meine Uniform. Wenn aber die Berufsbekleidung eines Menschen aus blutverschmierten Schürzen und Gummistiefeln besteht, hat er von so was halt grundsätzlich keine Ahnung.

»Gib mir acht Leberkässemmeln und halt einfach dein Maul«, sag ich und leg ihm gleich mein Geld auf den Tresen. Während der Simmerl die Semmeln herrichtet, sagt er: »Du, Franz, heut ist doch beim Wolfi der Hausball. Wie schaut's aus? Gehst da mit hin? Ich mein, maskiert bist ja sowieso schon. Also, die Gisela und ich, wir gehen da jedenfalls hin«, grinst mir der blöde Metzger über den Tresen und reicht dann meine Semmeln rüber. Und ich geh lieber mal, bevor es eskaliert.

Nach Feierabend schau ich tatsächlich noch zum Wolfi rein. Aber nicht etwa wegen dem ganzen Faschingstamtam, sondern vielmehr, weil ich diese Pfefferminz-Orgie aus meinem Hals spülen muss. Ich bestell mir ein Bier.

»Du bist früh dran. Aber originelle Verkleidung, wirklich, ausgesprochen originell, Franz«, sagt der Wirt, langt mir mein Glas her und fährt dann fort, kilometerlange Luftschlangen im Lokal zu verteilen. Das Bier schmeckt nach Minze. Ich geb's auf.

Daheim schnapp ich mir den Ludwig, und wir drehen unsere Runde. Er läuft heute weit vor mir her. Wahrscheinlich kann er mich auch nicht recht riechen. Wegen dem Wahnsinnstempo, das er vorgibt, brauchen wir nur einssechzehn dafür. Das ist eine unserer Bestzeiten. Und das stimmt mich fröhlich.

Wie wir heimkommen, raufen der Papa und die Oma grad um eine Tube Schuhcreme. Weil der Papa nämlich jetzt zum Wolfi will wegen Fasching und darum halt verkleidet ist. Als Bob Marley, wie jedes Jahr. Und die Oma es beim besten Willen nicht einsieht, schon wieder eine Bettwäschegarnitur wegschmeißen zu müssen.

»Franz, jetzt sag doch du auch einmal was! Er soll sich sein Gesicht nicht wieder so anschmieren, verdammt. Weil er mir jedes Mal mit dem Schmarrn die ganze Wäsche versaut!«

Ich nehm den beiden die Tube aus den Händen. Die ist quasi beschlagnahmt. Der Papa schüttelt verständnislos seinen Kopf, dass die Rasta-Locken nur so fliegen.

»Ja, sag einmal, hab ich denn da herinnen gar nix mehr zu sagen? Nimmt mich eigentlich überhaupt noch irgendwer für voll?«

»Schau dich im Spiegel an. Vielleicht beantwortet das deine Frage«, sag ich und geh dann zum Kühlschrank. Ein neues Bier, ein neuer Versuch. Diesmal schmeckt es schon besser. Deutlich besser. Die Minze auf dem Rückzug, quasi. Ein Segen.

Der Papa steht jetzt vorm Spiegel.

Er hat eine Jeans an und ein T-Shirt mit Jamaikaflagge. Und natürlich Rasta-Zöpfe. Bis runter zum Arsch.

Großartige Verkleidung, wirklich.

»Großartige Verkleidung, wirklich«, sag ich.

»Es schaut Scheiße aus mit dem weißen Gesicht«, sagt er brummig.

»Es schaut wunderbar aus«, sag ich. »Viel besser als mit Schuhcreme. Und der Marley, der war ja auch gar nicht richtig schwarz. Mehr so Mulatt, weißt du. Schmier dich lieber mit Schokolade ein, vielleicht lutschen's dir dann später die Weiber runter.«

Jetzt muss ich grinsen.

Er grinst nicht. Vielmehr macht er ein finsteres Gesicht.

Ein finsteres weißes Gesicht. Dann schreitet er von dannen.

»Was ist denn mit dir los? Gehst du nicht rüber zum Wolfi?«, will die Oma jetzt wissen. Ich mach mit Hilfe meiner Hände und dem Kopf das Ich-bin-müde-Zeichen und zieh mich dann in meinen Saustall zurück.

Der Umbau ist jetzt fast fertig. Vielleicht ein paar Feinheiten noch. So was wie Wände verputzen oder Fenster streichen. Aber das Wesentliche ist getan. Eine Heizung ist drin und ein großartiges Bad. Gut, die Fliesen sind gewöhnungsbedürftig. Erbsengrün und senfgelb im Schachbrettmuster. Ich hab sie jetzt seit einem Jahr, und bisher hab ich mich noch nicht so recht dran gewöhnt. Dafür waren sie billig. Sehr billig sogar. Sie waren so dermaßen billig, dass die Oma den ganzen Restbestand aufgekauft hat. Und damit wurde dann halt mein Bad gefliest. Und der Eingangsbereich. Und die Küche natürlich.

Um drei Uhr in der Früh tönen vom Wohnhaus rüber die Beatles in anzeigepflichtiger Lautstärke. Es ist so unerträglich, dass sogar der Ludwig das Jaulen kriegt. Also muss ich da rüber mitsamt meiner Waffe. Mr. Rastaman hockt im Kerzenschein auf dem Boden und säuft Rotwein direkt aus der Flasche. ›A hard day's night‹ tobt aus den Boxen. Zuerst schieß ich ihm die Kerze aus. Dadurch wird es dunkel, aber nicht leiser. Sein Feuerzeug klickt. Er steht jetzt vor mir und schreit mich an. Ich kann ihn aber leider nicht verstehen und zuck mit den Schultern. Er macht das Licht an und stellt die Musik ab. Und jetzt ist es wie im freien Fall. Der Körper kann so schnell gar nicht reagieren. Dem Papa geht es genauso wie mir. Wir schwanken ein bisschen.

»Wenn du hier noch ein einziges Mal rumschießt, dann werd ich das deinem Vorgesetzten melden«, sagt der Papa und dreht sich einen Joint. Das passt ganz großartig zu seinem Outfit.

»Und wenn du hier noch ein einziges Mal rumkiffst, dann werd ich das auch meinem Vorgesetzten melden«, sag ich, steck meine Pistole ein und geh wieder rüber.

Jeden Rosenmontag dasselbe. Immer diese dämlichen Faschingsdepressionen. Weil er nämlich an einem Rosenmontag die Mama kennen gelernt hat. Die große und einzige Liebe seines Lebens. Und ich hab sie auf dem Gewissen. Weil sie bei meiner Geburt gestorben ist. Es ist zum Kotzen!

Kapitel 3

Am nächsten Tag in der Früh kommt ein Anruf von der PI Landshut. Sie brauchen mich zur Verstärkung. Bei Gericht. Und wenn die werten Kollegen aus Landshut rufen, macht sich der dienstbeflissene Kommissar Eberhofer natürlich prompt auf den Weg.

Es geht um einen mutmaßlichen Mordfall, genau genommen um den, von dem der Papa schon aus der Zeitung wusste. Indizienprozess. Der Typ soll seine Geliebte auf dem Gewissen haben, weil er an ihr Geld ran wollte. Aber der streitet natürlich alles ab.

Sein Anwalt plädiert auf unschuldig. Logisch. Dafür wird er ja auch bezahlt. Der Staatsanwalt will lebenslänglich mit anschließender Sicherungsverwahrung. Ein ganz normaler Fall eigentlich. Was aber nicht normal ist und eben auch mich auf den Plan ruft, ist, dass der Angeklagte ein Psychopath ist. Also eigentlich ist er ein Psychologe, rein aus beruflicher Sicht, mein ich. Aber laut Gutachter und laut Richter Moratschek eben gemeingefährlich. Hannibal Lecter ein Scheißdreck dagegen, sagen sie. Und die müssen es ja wissen. Jetzt könnte man meinen, Psychopath und Psychologe, wie passt denn das zusammen? Aber offenbar passt das ganz wunderbar zusammen. Und sagen wir mal so: Wer könnte besser wissen, wie sich ein Psychopath zu verhalten hat, als eben ein Psychologe? Eben.

Nein, was ich eigentlich sagen wollte: Wir müssen ihn halt jetzt bewachen, den Küstner. Das ist sein Name. Dr. Küstner. Angeklagt wegen vorsätzlichen Mordes aus niederen Beweggründen. Wie wir zur JVA hinkommen, ist er von den Kollegen schon geschellt an Händen und Füßen. Und er macht einen Zirkus, das kann man gar nicht erzählen. Er kann so nicht laufen und ihm tun die Handgelenke weh und außerdem hat er eine Edelstahlallergie und so weiter und so fort. Ein Weichei sondergleichen praktisch. Wobei man ja jetzt sagen muss, wenn er wirklich so gefährlich ist, wie gesagt wird, dann kann das schon auch gut eine Masche von ihm sein, eine psychopathische. Also sind wir tierisch auf der Hut. Sind auf der Hut und hauen ihm mit den Schlagstöcken hinten auf die Oberschenkel, damit er sich vom Fleck bewegt. Nicht sehr fest, aber trotzdem fällt er hin. So geht das bis zum vergitterten Transportbus, Sauwagen, wie wir ihn liebevoll nennen. Wir brauchen insgesamt zwanzig Minuten bis zum Fahrzeug. Beachtlich. Aber irgendwann sitzt er dann drin, der Küstner, und weint. Und wir können endlich losfahren.

Das Verlesen der Anklageschrift ist endlos und langweilig, die Stimme vom Staatsanwalt gleichmäßig und ruhig. Der Idealfall für ein Nickerchen. Wenn man kein Schnarcher ist, dann kann man das normalerweise gut einschieben. Heute aber ist das anders. Weil heute nämlich zwischen den Worten des ehrenwerten Herrn Staatsanwalts immer wieder die hysterischen Rufe des Psychopathen ertönen. Nervtötend bis zum Dorthinaus. Jedes Mal, wenn ich kurz wegnicke, kreischt er wieder los, dass ich fast vom Stuhl fall. An ein Schläfchen überhaupt nicht zu denken.

In der Mittagspause treff ich den Moratschek am Kaffeeautomaten.

»Eberhofer, was machen Sie denn hier? Wer bewacht denn jetzt den Küstner?«, fragt er und kramt in seiner Hosentasche.

»Die anderen fünf Kollegen«, sag ich und nehm meinen Kaffeebecher aus der Halterung.

»Wissen die das auch? Nicht, dass ihr jetzt da alle in der Weltgeschichte herum spaziert und keiner bewacht mir mehr den Psycho? Haben Sie vielleicht mal einen Euro für mich?«

»Erstens ist er gut bewacht und zweitens, wo soll er denn hin, bitte schön, an Händen und Füßen gefesselt?«, sag ich und geb ihm Kleingeld.

Er nickt und lässt sich einen Kaffee raus.

»Ein Albtraum! Ein einziger Albtraum, dieser Mann. Froh und dankbar bin ich, wenn der Prozess vorüber ist, das können Sie mir glauben«, sagt der Richter, pustet kurz in den Becher und nimmt einen Schluck. Dann fischt er eine Schnupftabakdose aus seiner Hosentasche, drückt mir den Kaffee in die Hand und nimmt genüsslich eine Prise.

»Wie viel Verhandlungstage wird's denn geben?«, frag ich noch.

»Wenn er so weitermacht und ewig dazwischen schreit, sind wir an Weihnachten noch nicht durch.«

»Man könnte ihm das Maul zukleben«, schlag ich so vor und geb ihm den Becher zurück. Der Moratschek schüttelt den Kopf und trinkt aus.

»Sein Anwalt würd die Krätze kriegen. Der hat uns schon wegen den Achtern die Hölle heiß gemacht. So, dann machen wir einmal weiter, gell. Damit das Elend ein Ende hat«, sagt der Moratschek noch und geht in den Gerichtssaal vor.

An den nächsten beiden Tagen ist es nicht viel anders. Dann aber, am späten Nachmittag, kommt die Sache zum Abschluss. Die Urteilsverkündung ist in Reichweite gerückt. Und obwohl diese ganze Bewacherei schon ziemlich nervig war, warte ich jetzt gespannt auf das Urteil.

Im Gerichtssaal ist es eine Zeit lang mucksmäuschen-still. Dann durchbricht Moratscheks brünftiges Schnäuzen endlich die Ruhe. Er klopft mit seinem Hämmerchen und beginnt dann feierlich, das Urteil zu verkünden.

»Das wirst du bereuen, Schnupfer! Hörst du, das wirst du bitterlich bereuen!«, schreit der Psychopath jetzt aus Leibeskräften und meint damit den Richter. Er vibriert am ganzen Körper, und wir haben gut zu tun, ihn auf dem Stuhl festzuhalten. Er führt sich auf wie ein Gartenschlauch, wobei er abwechselnd den Staatsanwalt, den Richter und seinen eigenen Verteidiger beschimpft. Besonders einge-schossen hat er sich aber auf den armen Moratschek. Dem sagt er sogar den Tod voraus, dafür will er sorgen.

Aber so was kommt natürlich Scheiße. Macht man ein-fach nicht. Das zeugt von keinerlei Manieren, wirklich. Sollte er sich mal durch den Kopf gehen lassen, der Dr. Küstner.

Aber dazu hat er ja bald viel Zeit. Fünfzehn trostlose Jah-re. Mit anschließender Sicherungsverwahrung. Also, wenn ich mal davon ausgeh, dass er jetzt zweiundsechzig ist, hat er vermutlich seine besseren Zeiten schon hinter sich. Wir bringen ihn anschließend in die JVA Straubing, weil dort die Dauergäste einquartiert werden. Es gibt wohl keine einzige Beleidigung, die er auf dem Transportweg auslässt. Und es gibt keinen einzigen Parkplatz, wo wir nicht anhal-ten und russisches Roulette mit ihm spielen. Was natürlich mit unseren Dienstwaffen ganz unmöglich ist. Aber das weiß er ja nicht.

Wie ich an diesem Abend gen Heimat fahre, freu ich mich auf die kommenden und wesentlich ruhigeren Tage. Weil: in Landshut zu arbeiten, das ist schon ein Stress. Nicht zu vergleichen mit München natürlich, wo ich viele wertvolle

Jahre meines Lebens dienstlich verbracht hab. Das nicht. Aber im Vergleich zu Niederkaltenkirchen ein Wahnsinnsstress eben.

Auf ein opulentes Abendessen zu hoffen, ist derzeit nicht möglich, weil wir grad mitten in der Fastenzeit stecken. Ja, da ist die Oma konsequent. Da kennt sie rein gar nichts. Hungrige Männermägen hin oder her, in der Fastenzeit gibt's kein Abendessen. Ein Frühstück schon. Sogar mit allem Pipapo. Das Mittagessen ist dann schon eher dürftig. Und abends gleich Null. Das machen viele hier im Dorf so. Schließlich ist man ja streng katholisch, gell. Und freilich freut sich der Pfarrer darüber. Wer sich aber noch deutlich mehr freut, ist der Simmerl. Der Simmerl, samt seiner dicken Gisela. Weil: die stehen nämlich in dieser Zeit gleich im Doppelpack hinter dem Tresen und verkaufen warmes Essen an ausgehungerte Männer. Da reibt er sich dann abends seine blutigen Hände und frohlockt, der Simmerl.

Schon wie ich bei ihm zur Tür reingeh, kann ich es sehen. Die Kunden stehen in Zweierreihen bis hinter zum Eingang, und das Metzgerpaar kommt gar nicht mehr nach vor lauter hungrigen Kunden.

»Servus, Simmerl. Was hast denn heut Schönes im Angebot«, schrei ich von hinten durch die Menge.

»Hähähä«, tönt es von den Vordermännern.

»Fleischpflanzerl mit Kartoffelsalat«, schreit der Simmerl zurück. »Wie viel magst denn?«

»Gibst mir drei. Drei Pflanzerl und drei Semmeln«, sag ich dann.

»Keinen Kartoffelsalat?«

»Keinen Kartoffelsalat«, sag ich. Weil: da ess ich nur den von der Oma. Wer einmal in seinem Leben den Kartoffelsalat von der Oma probiert hat, der schaut keinen anderen mehr an. Nicht ums Verrecken.

»Der ist aber schon gut«, schreit jetzt die Gisela, wobei sie einen Haufen Alufolie um einen Haufen Fleischpflanzerl wickelt.

»Das mag schon sein, liebe Gisela«, sag ich. »Aber Fastenzeit ist Fastenzeit.«

»Du, sag einmal, Eberhofer«, schreit mir jetzt einer von den Vordermännern hinter. »Hast du eigentlich ein Sonderrecht da herinnen?«

»Schaut ganz danach aus«, sag ich. Und dann zum Simmerl: »Was bin ich dir schuldig?«

»Hundertzwanzig Euro und dreißig. Ja, Sonderrechte sind teuer, mein Freund«, grinst der Simmerl über die Wurstfront.

»Dann schreib's auf!«, sag ich und geh.

Den Weg ins Wohnhaus kann man also heut wegen essenstechnischer Defizite getrost auslassen. Und so geh ich gleich in meinen Saustall rüber. Geh in meinen Saustall rüber und freu mich also auf die Pflanzerl.

Eine geschlossene Nebeldecke empfängt mich schon an der Haustür. Was zum Geier ist denn da wieder los?

Ich geh schnurstracks in Richtung Bad, weil von dort die Schwaden kommen, und entdecke den Papa unter der Dusche. Unter meiner Dusche, wohlgemerkt.

»Was wird das, wenn es fertig ist?«, will ich jetzt wissen.

»Ach, Franz, gut, dass du da bist. Geh, reich mir mal das Handtuch rüber. Das hängt da vorn an der Türklinke. Ich dusch jetzt schon geschlagene zwanzig Minuten, weil ich gehofft hab, dass du endlich kommst«, sagt der Papa dampfenderweise.

Ich reich ihm das Handtuch. Er steigt aus der Duschwanne und trocknet sich ab. Das ist optisch kaum zu ertragen. Deshalb geh ich raus und hock mich erst mal aufs Kanapee. Der Ludwig kommt und drückt mir seinen Kopf gegen den Schenkel. Die Fleischpflanzerl werden kalt. Ich pack sie aus und fang an zu essen. Dann trifft der Papa ein in meiner Hackfleisch-Idylle. Er hat ein Handtuch um die Hüften und rubbelt seine Haare.

»Ja, wunderbar«, sagt er und schnappt sich ein Drittel meines wohlverdienten Mahls.

»Herrschaft, geht's noch?«, schrei ich ihn an.

Er genießt und schweigt.

»Warum duschst du nicht drüben in deinem eigenen Bad?«, muss ich jetzt wissen.

»Heizung kaputt«, schmatzt er mir her.

»Dann musst du wohl oder übel den Flötzinger anrufen und sagen, dass er kommen soll.«

»Hab ich schon gemacht. Er kommt am Dienstag. Dienstag nächste Woche. Es pressiert doch auch nicht so, wir haben ja schließlich den Kachelofen zum Heizen«, sagt der Papa und wischt sich übern Mund.

Wir haben tatsächlich einen erstklassigen Kachelofen im Wohnhaus drüben. Der heizt wie der Teufel. Aber leider kein Duschwasser.

Dann kommt die Oma rein. Sie trägt Bademantel und Duschhaube. Jetzt langt's aber.

Ich schnapp mir den Ludwig, und wir drehen unsere Runde. Wie durch Zufall kommen wir beim Flötzinger vorbei. Er steht vor der Garage und wurstelt in seinem Kofferraum rum.

»Das musst du verstehen, Franz. Ich hab halt noch einen Auftrag davor. Und dort hab ich schon fest zugesagt. Dienstag, spätestens Mittwoch komm ich dann gleich bei euch daheim vorbei«, sagt der Gas-Wasser-Heizungs-Pfuscher.

»Spätestens Mittwoch, also?«

Er nickt.

»Das musst du verstehen«, sagt er noch einmal. Diesmal mit deutlich mehr Nachdruck.

»Natürlich versteh ich das, Flötzinger.«

Er ist sichtlich erleichtert.

Ich geh mal um sein Auto rum. Genauer gesagt um alle drei. Also um seinen Firmenwagen, um den schicken Privat-BMW und um den Elefantenrollschuh von seiner Frau Mary.

»Reifen abgefahren. TÜV abgelaufen. ASU versäumt. Ist der BMW tiefer gelegt? Steht das auch in den Papieren?«

»Also, Franz …«

»Warndreieck, Warnweste, Verbandskasten, Aids-Handschuhe?«

»Franz, bitte …«

»Führerschein, Fahrzeugpapiere?«

»Geh, Franz, jetzt mach mal einen Punkt«, sagt der Pfuscher.

Aber der Franz macht keinen Punkt. Weil er seine Dusche nämlich nicht teilen will.

Eine Stunde später steht der Flötzinger in unserem Keller direkt vor der maroden Heizung. Zweieinhalb Stunden später läuft sie wieder einwandfrei. Das ist alles kein Problem nicht. Wenn man nur will, gell.

»Gehen wir noch auf ein Bier zum Wolfi«, frag ich dann, um der Sache einen würdigen Abschluss zu verleihen.

»Es ist kurz vor Mitternacht, und jetzt leck mich am Arsch«, sagt der Flötzinger.

Ja, wer nicht will, der hat schon.

Kapitel 4

Ein paar Tage später komm ich frisch und munter im Büro an, in Vorfreude auf einen ruhigen Arbeitstag. Und gleich trifft mich der Schlag. Ich sitz da grad so gemütlich vor meinem Bildschirm und schlürf am Kaffee, der wie erwartet nicht gut ist, aber immerhin ist es ein Kaffee, und les derweil die Lage. In der Lage steht praktisch alles drin, was in den letzten Stunden passiert ist. So dienstlich gesehen. Damit man halt als verantwortungsbewusster Gendarm auf dem Laufenden ist und nicht dasteht wie ein Depp. Und da kann ich es ganz deutlich lesen:

Lagebericht des Polizeipräsidiums Niederbayern

Tatort Straubing: Gefangener täuscht Herzanfall vor und sticht 35-jährigen Begleitbeamten der JVA Straubing bei Transport im Rettungswagen von der JVA ins KH Straubing mit einem Skalpell in den Bauch. Anschließend flüchtet er in unbekannte Richtung.
Fahndung im Nahbereich durch mehrere Streifen der PI Landshut unter Anforderung von Hubschrauber bislang negativ. Ringalarmfahndung ausgelöst.
Bei Aufgriff Eigensicherung beachten (Täter ist bewaffnet und äußerst gewalttätig)!
Begleitbeamter nach Notoperation außer Lebensgefahr.
Personalien/Personenbeschreibung wie folgt …

Der Küstner ist weg!

Hat gestern Nacht heimtückisch einen Herzanfall vorgetäuscht und ist prompt vorschriftsmäßig mit dem nächstesten Sanka ins nächstbeste Krankenhaus gebracht worden. Dort hat er dem besorgten Begleitbeamten kaltblütig ein Skalpell in den Bauch gerammt und ist getürmt. Quasi auf und davon. Wir hätten ihn doch lieber gleich abknallen sollen, anstatt bloß so zu tun. Aber zu spät. Weil: jetzt ist er weg.

Was aber eigentlich nicht mein Problem ist. Ist ja nicht mein Aufgabengebiet. Mein Aufgabengebiet ist Niederkaltenkirchen und sonst nix. Und da ist er ja schließlich nicht, der Küstner.

Also erst mal in Ruhe Zeitung lesen. Ich bin grad so im Sportteil versunken, da läutet mein Telefon. Und das ist halt ärgerlich. Wobei man jetzt schon sagen muss, dass der Niederkaltenkirchner Sportteil erbärmlich ist. Für einen Ungeübten kaum zu finden. Im Grunde geht's nur um die Fußballmannschaft. Manchmal ein Vierzeiler über das Frauenturnen. Aber nur selten. Sonst eben: Fußball. Und unsere Kicker vom FC Rot-Weiß sind alles andere als begnadet. Dümpeln seit Jahrzehnten in der Kreisliga vor sich hin. Selbst der Import eines angolanischen Torjägers in der letzten Saison konnte daran nichts ändern. Rein gar nichts. Und da muss man sich dann auch wirklich nicht wundern, wenn die Zeitung kaum was drüber schreibt, gell. Mich interessiert's eigentlich eh nicht besonders, heute aber schon, weil der Özdemir drin ist. Also, der Junge, der Murat. Mit Foto sogar. Der Murat hat nämlich ein Tor geschossen, der dicke Fußballgott. Das ist schön. Und sehr erfreulich für die Mannschaft, weil sie das Spiel dann auch gewonnen hat. Weniger erfreulich ist, dass das Telefon gar nicht mehr aufhört zu läuten. Aber da kann man nichts machen. Ich geh also ran.

»Eberhofer, haben Sie's schon gehört? Das ist ja entsetzlich!«

Ich weiß gleich gar nicht, wer dran ist, und fang grad so zum Nachdenken an, da hör ich einen Schniefer. Tief und lang ein und dann ganz entspannt aus. Es ist der Richter Moratschek, der alte Schnupftabakjunkie.

»Was genau meinen S' jetzt da, Richter?«, frag ich und lehn mich ganz locker im Bürostuhl zurück.

»Ja, der Psychopath ist halt abgängig. Der, na, wie heißt der gleich wieder, warten S' …«

»Küstner.«

»Genau. Und das ist doch furchtbar! Was machen wir denn jetzt?«

»Zur Fahndung ausschreiben?«

»Eberhofer, das wurde längst gemacht, wo denken Sie hin. Alle verfügbaren Kollegen sind rund um die Uhr im Einsatz.«

»Ich persönlich bin nicht verfügbar«, sag ich.

Der Moratschek schnäuzt sich.

»Schuld dran ist nur dieses Scheiß-Insulin«, sagt er weiter.

»Welches Scheiß-Insulin meinen Sie jetzt genau?«

»Ja, der ist doch zuckerkrank, der Küstner. Und da kriegt er halt jeden Tag seine Portion Insulin, wissen S'. Und da hat sich der Kerl jedes Mal ein bisserl was abgezwickt. Halt grad so viel, dass er noch über die Runden kommt. Das hat er dann in so einem Röhrchen unter der Matratze versteckt. Fragen S' mich nicht, wie das bei unseren Kontrollen möglich ist. Aber es ist eben passiert. Und gestern … gestern hat er sich dann die ganzen Reste einverleibt. Zusätzlich zu seiner Tagesration natürlich. Und da spielt dann halt das

Herz verrückt, gell. Saudummerweise aber nur kurz. Grad so lange, bis er eben im Sanka war.«

»Aha. Und dann, wie er quasi wieder fit war, da hat er …«

»Sie sagen es! Entsetzlich. Einfach entsetzlich. Gott sei Dank ist der Kollege schon außer Lebensgefahr. Es hat ja auch nur den Blinddarm erwischt. Und der ist jetzt halt weg. Kein großer Verlust also.«

»Nein«, sag ich. »Mein Blinddarm ist auch weg. Da kann man gut leben damit.«

»Sehen Sie. Also, Eberhofer, Sie halten ebenfalls schön die Augen offen, gell. Wer weiß, wo sich der überall herumtreibt, der Küstner. Womöglich kommt er ja sogar zufällig nach Niederkaltenkirchen.«

»Womöglich«, sag ich, weil mir jetzt weiter auch nix einfällt. Dann muss er aber sowieso schon einhängen, der ehrenwerte Richter, weil wieder eine von seinen Verhandlungen ansteht. Augen offen halten, sagt er noch. Auf alle Fälle, sag ich. Und dann ist eh schon gleich Mittagspause.

Daheim gibt's Salzkartoffeln, Spinat und Spiegeleier. Wie gesagt, die Fastenzeit ist ein Martyrium hier bei uns. Nach dem Essen helf ich der Oma beim Abwasch, und dann rückt sie auch schon raus mit der Sprache. Sie muss nämlich heute noch dringend zum Praktiker. Weil der halt jetzt dreißig Prozent gibt, auf alle Elektroartikel. Und da muss sie hin, koste es, was es wolle. Und wenn die Oma da hin will, hat der Franz keine Chance. Nicht die geringste. Also fahren wir los.

Sie gibt mir einen Euro, ich soll den Einkaufswagen holen. Aber einen großen, nicht den für Firlefanz, nein, es muss schon was reingehen, sagt sie. Und ich tu natürlich, wie mir geheißen. Sie schreitet vor mir her wie die Königin von Saba, und für ihre winzigen Haxerln legt sie ein beachtliches Tempo vor. Nein, an Zielstrebigkeit ist die Oma nicht zu übertreffen. Und seh halt hechelnderweise zu, wie ich hinterherkomm. Aber wenn sie jetzt noch länger so weiterrennt, kommt sie in den Kindersitz und fertig. Dann stehen wir plötzlich vor den Aliberts. Aliberts, so weit das Auge reicht. Einer neben dem anderen, drunter und drüber. Praktisch die ganze Wand entlang und in schwindelerregende Höhen hinauf.

»Jetzt suchst dir einen schönen aus, Bub. Damit der Saustall in deinem Bad endlich ein Ende hat. Und damit du ein gescheites Licht hast drinnen. Und eine Steckdose für den Föhn.«

Aha.

»Aha«, sag ich und starr in die haushohe Spiegelschrankwand.

»Der zweite da oben, der ist doch schön«, sagt die Oma nach einer Weile.

»Kann ich Ihnen irgendwie behilflich sein?«, fragt ein freundlicher Verkäufer mit Ziegenbärtchen.

»Ja, wunderbar, dass Sie da sind«, sagt die Oma, bin somit aus dem Rennen und fungiere quasi nur noch als Dolmetscher. Weil die Oma hundert Fragen hat und das Zicklein hundert Antworten. Aber die kann sie natürlich nicht hören, die Oma. Und meine wesentliche Aufgabe ist es dann nur noch, ihr seine Ausführungen alle zu Gehör zu bringen. Irgendwann kommen wir tatsächlich zu einem Entschluss. Wir nehmen den größten mit drei Türen und Halogenaufsatzleuchte. Es ist auch der teuerste. Aber bei dreißig Prozent spielt das überhaupt keine Rolle.

Der bärtige Berater hat jetzt schon Schweißränder bis hin zu den Ellbogen, wie wir ihm unsere Wahl verkünden. Aber dann freut er sich doch und sagt, er würde schnell im Lager Bescheid geben, damit die uns den wunderbaren Alibert originalverpackt direkt an die Kasse bringen.

Einwandfreie Sache.

Wir sind sehr zufrieden. Er offensichtlich auch.

»Sie werden Ihren Einkauf nicht bereuen. Das ist ein Superteil«, sagt er zum Abschied und reicht uns die Hand.

»Das ist auch ein Superpreis«, sag ich mit Hinblick auf die Prozente.

»Ah, Moment, dass mir da keine Missverständnisse entstehen«, sagt das Zicklein jetzt und für meinen Begriff ein bisschen zu zaghaft. »Die dreißig Prozent gibt's leider nur auf Elektroartikel.«

Die Oma fuchtelt wie wild, und ich erklär ihr schnell den Sachverhalt.

»Und was bitte ist das sonst, wenn kein Elektroartikel?«, schreit die Oma jetzt.

Der Verkäufer klopft auf ein Schild, wo draufsteht: Sanitärartikel.

»Sanitärartikel, dass ich nicht lache! Da ist ein Stromzugang dran. Und ein Stromabgang. Da brennt eine Glühbirne drin. Also, elektrischer geht es wirklich nicht.«

Die Oma ist jetzt richtig in Fahrt.

Der Verkäufer schüttelt den Kopf, den feuerroten. Die Oma hält eine Frau auf, die uns grad mit ihrem Einkaufswagen passiert.

»Sie, Frau«, schreit die Oma. »Wenn irgendwo Strom reingeht und auch wieder rauskommt, ist das dann ein Elektrogerät?«

Die Frau nickt. »Ja, freilich«, sagt sie.

Die Oma strahlt und stemmt die Hände in die Hüften. Das Zicklein ringt nach Luft. Jetzt fängt auch er an zu schreien: »Ein Sanitärartikel ist das! Und aus!«

Nix aus! Weil sich jetzt nämlich ein älteres Ehepaar einmischt, das den Alibert ganz einstimmig und eindeutig elektrisiert.

Ein Mann im Blaumann gesellt sich zu unserer kleinen Diskussionsrunde. Er ist Mechaniker, sagt er. Und, dass ein Alibert ohne jede Frage ein Sanitärartikel ist. Ganz klar. Die Oma merkt gleich, dass er nicht auf unserer Seite steht und schreit ihn an. Und wenn man einmal ehrlich ist, was weiß ein Mechaniker überhaupt von Elektrizität. Lächerlich. Kaum ist die Oma fertig mit Schreien, fängt der Blaumann an. Er weiß natürlich nicht, dass die Oma taub ist, und schreit sie jetzt an aus Leibeskräften. Obwohl sie nicht hört, was er schreit, merkt sie natürlich gleich, dass es feindlich ist, deshalb muss sie ihm gegen's Schienbein treten. Jesus Christus! Und was macht der Blaumann? Er SCHUBST die Oma! Das war ein Fehler. Ein verhängnisvoller. Niemand schubst die Oma. Niemand! So schnell kann er gar nicht schauen, da liegt er bäuchlings auf dem Boden, und ich hock auf ihm drauf. Meine Waffe zielt auf seinen Hinterkopf.

Ja, wo kämen wir denn da hin? Wenn jetzt schon winzige, uralte und hilflose Menschen dem ungezügelten Aggressionspotenzial proletarischer Handwerker ausgeliefert sind?

Der Blaumann wimmert.

Der Ziegenbart weint.

Ein Geschrei ist das, das kann man gar nicht glauben.

Das Ende vom Lied ist, dass von dem ganzen Remmidemmi der Geschäftsführer kommt.

Das Zicklein kriegt eine Abmahnung.

Wir kriegen dreißig Prozent.

Ein großartiger Einkauf, wirklich.

Tags darauf, gleich wie ich zur Küche reinkomm, erfahr ich es schon: Der Alibert hängt. Der Papa sagt, die Oma und er hätten weder Kosten noch Mühen gescheut und im Schweiße ihres Angesichtes und mit Hilfe erstklassiger Dübel wäre der Spiegelschrank jetzt da, wo er sein soll. Nämlich drüben in meinem Bad. Das war gar nicht so einfach, sagt er weiter. Weil das Teil natürlich ein Mordsgewicht hat. Und mit lauter Ausrichten und Halten und Bohren sind sie schon ganz schön ins Schwitzen geraten. Aber jetzt hängt er, und zwar niet- und nagelfest.

Das muss ich mir natürlich gleich anschauen. Das muss ich mir anschauen und freu mich, endlich statt grün-gelbem Schachbrett in Zukunft mein Gesicht betrachten zu können.

Na gut, so direkt mein Gesicht kann ich dann leider nicht betrachten. Es ist mehr die Brust. Weil halt der Papa den Part des Bohrens übernommen hat und die Oma mehr das Ausrichten. Und natürlich hat sie hervorragend ausgerichtet. Exakt auf ihre Körpergröße. Ich kann also jetzt beim Zähneputzen entweder knien oder meine Brustwarzen beäugen. So genau weiß ich noch nicht, für welche Version ich mich entscheide.

Wie ich nach der großartigen Bescherung und einem mageren Mittagessen wieder in mein Büro komm, hockt der Bürgermeister drinnen. Genauer gesagt hockt er auf meinem Platz. Und er macht keinerlei Anstalten, diesen zu räumen. Ich häng meine Jacke an den Haken und setz mich auf den Schreibtisch. Schließlich ist es ja meiner.

»Was verschafft mir die Ehre?«, frag ich ihn dann.

»Eberhofer, Eberhofer …«

Diese Stimmlage kenn ich. Eine Belobigung brauch ich jetzt gar nicht erst zu erwarten. Der Bürgermeister steht auf und geht ans Fenster. Er verschränkt die Arme im Rücken. Das ist an Dramatik kaum noch zu steigern.

»Raus damit«, sag ich und probier's mal mit einem fröhlichen Tonfall. Der Bürgermeister geht gar nicht drauf ein. Nix mit fröhlich. Gar nix. Er dreht sich langsam zu mir um und schaut mich an wie ein Trauerkloß.

»Ist jemand gestorben?«, frag ich, weil's mir direkt so ins Hirn schießt.

»Wenn Sie so wollen, Eberhofer, dann ist die Würde der Bayerischen Polizei gestorben. Oder zumindest liegt sie im Sterben.«

Er spricht in Rätseln. Irgendwie ist mir jetzt auch nicht mehr wohl auf der Schreibtischplatte, weil es eine Überlegenheit darstellt. Und momentan fühl ich mich alles andere als überlegen. Ich setz mich auf meinen Bürostuhl.

»Der Geschäftsführer vom Praktiker hat sich beschwert.« Aha, daher weht der Wind.

»Ja, über was beschwert er sich denn so alles, der Geschäftsführer vom Praktiker?«

»Herrschaft, Eberhofer, jetzt reißen Sie sich doch einmal zusammen! Was denken Sie sich denn eigentlich dabei, mitten am Nachmittag, also in Ihrer Dienstzeit, zum Einkaufen zu fahren? Was denken Sie sich dabei, wildfremde Kunden anzugreifen? Oder sich auf dem Boden zu wälzen. Ausgerechnet jetzt, wo Sie diese wunderbare Uniform tragen. Ein Vorbild müssten Sie da sein. Ein Vorbild, jawoll, ja. Und was tun Sie? Sie treiben mich zum Wahnsinn, Eberhofer!«

Huihuihui! Im Laufe seines hysterischen Anfalls hat er sich auf den Schreibtisch gestützt und atmet mich jetzt direkt an. Das geht jetzt aber wirklich zu weit. Das lässt sich ja nicht ertragen. Beim besten Willen nicht. Ich steh also auf und ein bisschen blöd im Büro rum.

»Und dann diese leidige Geschichte mit Ihrer Waffe«, sagt der Bürgermeister jetzt weiter und starrt wieder armverschränkt aus dem Fenster.

»Himmelherrschaft, wie oft haben Sie es denn schon hören müssen, dass Sie die Waffe da lassen sollen, wo sie hingehört, nämlich im Halfter. Na, Eberhofer, wie oft?«

»Ja mei«, sag ich schulterzuckenderweise.

Er sagt nichts und schaut, wie wenn ich ihm grad die Dienstwaffe unter die Nase gehalten hätte.

Meine Güte! Dass mir da jetzt der Geschäftsführer so einen Aufstand macht, damit hätt ich nicht gerechnet. Weil er auch noch so scheißerlfreundlich war, wie wir weg sind. Hat uns dann sogar noch hinterhergewunken, der alte Gratler.

Aber gut. Dann weiß man ja jetzt, woran man ist.

Der Bürgermeister schnauft tief durch und dreht sich wieder zu mir her.

»War's das jetzt?«, frag ich dann.

»Ja ... das war's dann. Und, Eberhofer, wagen Sie es nicht noch einmal, diese wunderbare bayerische Uniform zu verunglimpfen. Wenn Sie nicht wissen, wie Sie sich darin zu benehmen haben, dann sind Sie es auch nicht wert, sie zu tragen. Sind wir uns da einig?«

Und wie wir uns da einig sind! So schnell kann er gar nicht schauen, und ich hab diese wunderbare bayerische Uniform ausgezogen und in seine wunderbar bayerischen Arme gedrückt. Ich zieh den Einsatzgürtel direkt über die Unterhosen und fertig.

Jetzt schaut er aber blöd, der Herr Bürgermeister. Und ich mach mich auf den Weg zum Streifenwagen.

»Ach ja, und rufen Sie den Moratschek an!«, schreit er mir noch hinterher.

Jetzt wird's aber hinten höher als vorn.

Den Moratschek anrufen! Das auch noch! Als würde ein Anschiss am Tag nicht genügen. Normalerweise sprechen sie sich ja ab, der Moratschek und der Bürgermeister. Wer von ihnen mich zur Sau macht. Aber heute praktisch gleich ein Zwiefacher. Das wird ja immer schöner.

Und das mit der Waffe, da hat er gut reden, der Klugscheißer. Ist der schon einmal schwer angeschossen worden? Nein! Aber ich! Bei einem brutalen Banküberfall, in meiner Dienstzeit in München. Und das war kein Spaß nicht, das kannst du mir glauben. Und wenn man eben, so wie ich, schon einmal schwer angeschossen wurde, dann weiß man, es gibt nur einen einzigen wahren Freund im Leben. Und der ist aus Metall. Überhaupt war diese Münchener Zeit schon unglaublich aufregend. Jeden Tag ein Krimi, kann man schon fast sagen. Ganz anders halt wie hier den Dorfgendarm zu spielen. Ja, ganz anders. Aber das wär heut eh nix mehr für mich. Dieser ganze Stress. Nein, da kann der Bürgermeister so blöd daherreden, wie er mag, hier ist es doch bedeutend entspannter.

Wie ich daheim aus dem Auto steig, ist akkurat der Papa im Hof. Es schneit schon wieder, und er schaufelt den Weg zum Haus frei. Dann schaut er mich an.

»Es schneit schon wieder«, sagt er.

»Ja, zum Kotzen«, sag ich.

»Saukalt ist es auch«, sagt er weiter.

»Die ist aus Flanell«, sag ich und deute auf meine Boxershorts.

»Dann ist es ja gut«, sagt er und schaufelt dann weiter.

Ich geh in den Saustall und schnapp mir Lederjacke und Jeans.

Ja, da scheiß ich auf die Sterne, und wenn sie noch so funkeln. Weil: meine Jeans … meine Jeans kann ich verunglimpfen, solang wie ich mag.

Kapitel 5

Um gleich ein Exempel zu statuieren, ruf ich den Moratschek gar nicht erst an, sondern fahr direkt einmal hin. So kann ich ihm nämlich gleich den Wind aus den Segeln nehmen, von wegen wundervoller bayerischer Uniform. Leider hat er grad wieder eine Verhandlung, und so muss ich in der Gerichtshalle warten. Es dauert ziemlich lange, und grad wie ich einschlaf, kommt er daher, der Herr Richter. Er saust aus dem Sitzungssaal in sein Büro hinüber, und seine Robe flattert im Sausewind hinter ihm her. Dann knallt er die Tür zu. Hat wohl auch schlechte Laune heut.

Na bravo.

Ich streck mich ein bisschen und gähne und folge dann seinen Spuren. Klopf an die Tür und warte auf ein Herein. Aber das kommt nicht. Stattdessen kommt der Moratschek höchstpersönlich und öffnet einen Spalt.

»Ah, Sie sind's«, sagt er und zerrt mich ins Innere. »Gut, dass Sie da sind, Eberhofer. Setzen Sie sich.«

Ich tu, wie mir geheißen, und bin einigermaßen überrascht. Kein Wort von wegen asozialer Rowdy, der den heimatlichen Waffenrock in Verruf bringt. Ganz im Gegenteil.

»Mögen S' einen Kaffee?«

»Da sag ich nicht Nein.«

»Dann holen S' einen. Draußen am Automaten. Geh, und sind S' so gut und bringen S' mir auch einen mit«, sagt der Moratschek dann.

Ich steh auf und geh zur Tür. Er folgt mir, macht sie einen Spalt auf, grad so, dass ich hinausschlüpfen kann, und haut sie dann gleich wieder hinter mir zu. Irgendwie kommt er mir heut ein bisschen sonderbar vor, muss ich schon sagen. Ich hol also zwei Becher Kaffee und gehe zurück. Und wieder macht er mir die Tür auf und drückt sie hinter mir sofort ins Schloss zurück.

»Ist irgendwas mit Ihrer Bürotür«, möcht ich jetzt doch wissen.

Der Moratschek schüttelt den Kopf und trinkt erst mal seinen Kaffee. Nachdem er sich dann noch ein gutes Häufchen Gletscherprise hinter die Kiemen gezogen hat, redet er endlich.

»Heut in der Früh hab ich eine Nachricht an meiner Windschutzscheibe gefunden. Eine Nachricht vom Küstner«, flüstert er mir über den Schreibtisch.

»Und was schreibt er so, der Küstner?«

»Dass er mich abschlachtet wie ein räudiges Vieh, wenn er mich findet. Und sagen wir einmal so, schwer zu finden bin ich ja eigentlich nicht, gell.«

»Haben Sie das gemeldet?«

»Ja, das ist so eine Sache, Eberhofer. Weil: die Nachricht … die Nachricht war nämlich auf die gefrorene Scheibe gekratzt. Und bis die Streife eingetroffen ist, war davon überhaupt nichts mehr zu lesen.«

»Wieso nicht?«

»Ja, weil's halt aufgetaut war, Mensch. Weil halt die Sonne drauf geschienen hat.«

Aha.

»Aha«, sag ich – und hab da so einen Verdacht.

»Und was wollen S' jetzt ausgerechnet von mir?«, frag ich noch mal nach. Er sagt nichts.

»Kann es sein, dass die Kollegen Ihnen das nicht geglaubt haben, das mit der Nachricht auf der Autoscheibe?«

»Ja, geglaubt, was heißt da geglaubt. Die meinen halt,

dass ich mich jetzt da in was verrenn. Weil er mich halt im Gerichtssaal bedroht hat, gell. Und außerdem glauben die überhaupt nicht, dass er noch irgendwo da bei uns herumhängt. Die sagen, der ist hundertprozentig schon rüber ins Ausland. Weil: bei diesen Temperaturen kann kein Mensch draußen überleben. Und wenn er irgendwo drinnen wär, hätten sie ihn doch schon längst gefunden.«

»Und weil Ihnen das sonst keiner glaubt, kommen S' jetzt ausgerechnet zu mir?«

»Ja, was soll ich denn sonst tun, verdammt?«

Er steht auf und geht zum Fenster. Zieht praktisch die gleiche Show ab, wie kurz davor der Bürgermeister. Lernen die das eigentlich irgendwo? Gibt's da vielleicht ein Seminar dafür?

»Herrschaft, Eberhofer, wie lang kennen wir uns denn jetzt? Wir haben doch schon alles Mögliche zusammen gemeistert, oder? Sie können mich doch nicht einfach so hängen lassen.«

Ich muss grinsen. Das hätt ich mir im Leben nicht gedacht, dass es einmal so weit kommt.

Sonst war es ja eher immer umgekehrt. Sonst ist der Franz nämlich immer auf seinen Knien hier ins Büro gerutscht und hat gehofft, dass der Richter ihm irgendwas glaubt. Hat er aber nicht. Nicht ein einziges Mal. Dem Richter seine Worte waren nur: Meinen S' nicht, dass Sie sich jetzt da in was verrennen, Eberhofer. Regeln S' den Verkehr und halten S' das Maul. Fertig. Und dabei hätt ich seine Unterstützung das eine oder andere Mal wirklich dringend gebraucht, frag nicht. Allein bei meinem Vierfachmord. Aber nix. Alles Unfälle, hat er damals gesagt, der Richter. Am Schluss hat er dann schon ziemlich blöd geschaut, muss man jetzt sagen. Aber zuerst … zuerst hat er mich ausgelacht und den Verkehr regeln lassen.

Heut ist die Situation aber anders. Und zwar völlig anders. Jetzt will der ehrenwerte Richter nämlich etwas von mir. Und das tut auch mal gut.

Ich steh dann auch auf, aber nur, um mich auf seinen Schreibtisch zu setzen.

»Und was genau erwarten Sie von mir?«, frag ich.

»Dass Sie bei mir übernachten.«

Mich haut's fast vom Tisch, wie ich das hör. Ja, so weit kommt's noch!

»Sie, Moratschek, glauben Sie nicht, dass Sie sich jetzt da in was verrennen? Nehmen S' Ihr Frauchen mit ins Bett und kuscheln S' ein bisschen. Dann wird Ihnen schon keiner was tun, gell«, sag ich, und dann bin ich auch schon draußen. Ja, wo kommen wir denn da hin, wenn ein jeder verschrobene Richter seinen privaten Bodyguard kriegt?

Daheim angekommen, seh ich auch schon das Auto vom Leopold im Hof stehen. Was für eine Freude. Ich geh mit meinen panierten Schnitzeln aus der Hausbräterei Simmerl direkt in den Saustall rüber und mach mir da ein Bier auf. Nach dem Essen schnapp ich mir den Ludwig, und wir drehen unsere Runde. Eins-zweiundzwanzig brauchen wir dafür, weil wir unterwegs auf den Flötzinger treffen. Der durchackert gern mit Stöcken die dorfnahen Wälder, von wegen Gesundheit. Und auch wegen Schönheit. Genauer wegen Weibern. Weil seine hauseigene Mary immer öfter an zwischenmenschlichen Zusammenkünften eher desinteressiert ist. Und da schaut er sich halt schon gern einmal um in Niederkaltenkirchen. Wir hauen einen Ratsch heraus und verabreden uns auf ein Bier beim Wolfi. Dann wandern wir weiter, der Ludwig und ich.

Zurück auf dem elterlichen Anwesen steht das Auto vom Leopold immer noch da. Jetzt hilft aber alles nix, jetzt muss ich da rein. Weil: wenn ich nämlich nicht da war, bevor die Oma ins Bett geht, gibt's morgen beleidigte Leberwurst. Und darauf bin ich wirklich nicht scharf.

Der Papa sitzt im Sessel und stöhnt. Hinter ihm steht der Leopold und massiert ihm sein Genick.

»Gut so, Papa?«, fragt er grad wie ich zur Tür rein-komm.

Die Sushi sitzt am Boden und spielt mit Klötzen. Die Sushi ist die Tochter vom Leopold und heißt eigentlich Uschi. Weil sie aber über erstklassige Mandelaugen verfügt und halbasiatischer Herkunft ist, heißt sie bei uns eben Sushi. Das passt einfach viel besser zu ihr. Außerdem ist Uschi der Name von meiner toten Mama und somit nicht mehr zu vergeben. Und aus! Ich persönlich nenn sie ja auch ganz gern mal Zwerg Nase, weil ein erstklassiger Eber-hofer-Zinken das sonst so feine Gesicht dominiert.

Die Panida steht mit der Oma am Herd und kocht. Die Panida ist die Frau vom Leopold, seine dritte, und sie ist diesmal vollasiatisch. Genauer gesagt Thailänderin. Aber das ist nicht so schlimm.

Was wirklich schlimm ist, dass hier jetzt gekocht wird. Jetzt, wo ich satt bin.

»Wieso wird denn da eigentlich gekocht, so mitten in der Fastenzeit?«, frag ich und schau der Oma über die Schulter.

Wammerl mit Kraut. Ich glaub's nicht.

»Ja, weil halt heut der Leopold zu Besuch ist«, sagt der Papa und strahlt.

»Hat denn die Oma überhaupt schon was mit dem neuen Kochbuch ausprobiert?«, will der Leopold wissen.

»Logisch«, sag ich.

»Und was?«

»Ob's in den Mülleimer passt.«

»Franz!«, schreit der Papa und legt beruhigend seine eigene Hand auf die schultermassierende seines Erstgeborenen.

»Gut so, Papa?«, fragt die alte Schleimsau jetzt wieder. Der Papa nickt.

Dann entdeckt mich die Sushi. Die mag mich. Sehr sogar. Zum großen Leidwesen ihres Vaters freilich.

Sie steht langsam auf und kommt zu mir rüber. Ganz vorsichtig.

»Seit wann kann sie denn laufen?«, frag ich und geh in die Hocke. Ich streck die Arme nach ihr aus.

»Seit vier Tagen«, sagt der Leopold und hört auf zu massieren. Stattdessen geht er auch in die Hocke.

»Opa, sag einmal Opa, Uschi«, fordert er in einer dämlichen Kinderstimme die Kleine auf. Er nennt sie natürlich Uschi. Als Einziger. Grad so zum Fleiß.

»Obba, Obba«, sagt das Mandeläuglein und landet in meiner Einflugschneise. Ich nehm sie auf den Arm. Sie klatscht mir mit beiden Händen auf die Backen und lacht. Der Papa verdrückt sich ein Tränlein.

»Und seit wann sagt sie Opa?«, frag ich weiter.

»Seit heut Nachmittag. Das hab ich ihr auf der Autofahrt gelernt, gell Panida?«

Die Panida dreht sich um.

»Ja, Opa sagt sie. Und Mama auch. Aber Papa sie kann nix sagen.«

Das kann ich verstehen.

»Machst du bitte den Tisch zurecht, Franz?«, fragt dann der Papa. Ja, bin ich deppert? Für mich wird hier nichts gekocht, wegen Fastenzeit, aber wenn der heilige Leopold kommt mit seinem Geschwader, dann können's mich schon wieder brauchen zum Tischeindecken.

»Geh, Franz, sei doch so gut und mach den Tisch zurecht«, sagt jetzt die Oma, weil sie ja dem Papa seine Order nicht gehört hat.

Ich mach den Tisch zurecht.

Dann klopft es kurz am Fenster, und gleich drauf kommt die Mooshammer Liesl zur Tür rein. Das ist zwar die größte Ratschn im ganzen Dorf, aber eine zuverlässige Hilfe, was die Hühneraugen von der Oma betrifft.

»Grüß Gott miteinander«, sagt sie, stampft den Schnee von den Schuhen und kommt in die Küche.

»Du, Lenerl, gell, dass du mir den Termin morgen nicht vergisst«, schreit sie die Oma an.

Ich weiß nicht wie, aber die Oma kann sie tatsächlich verstehen.

»Ja, ja, ich weiß schon, morgen um vier«, schreit die Oma zurück.

»Was kochst denn da Schönes, Lenerl? Ist das ebba ein Wammerl? So mitten unter der Fastenzeit«, schreit die Liesl.

Die Oma zuckt mit den Schultern.

»Mei, ich weiß schon, die Mannsleut, gell«, hechelt die Mooshammerin weiter. »Denen ist ja die Fastenzeit so was von wurst. Mein lieber Mann, Gott-hab-ihn-selig, dem war die Fastenzeit auch immer so was von wurst«, sagt sie und schaut in die Töpfe.

Ja, das ist jetzt wieder typisch mit den lieben Männern. Weil sie zu solchen immer erst werden, wenn Gott sie schon selig hat. Noch nie hab ich gehört: Mein lieber Mann, der grad im Wirtshaus beim Schafkopfen hockt. Oder: Mein lieber Mann, der momentan mit seinen Kumpels die Welt umsegelt. Oder wenigstens: Mein lieber Mann, der in der Küche grad die Zeitung liest. Nein. Immer nur: Gott-hab-ihn-selig. Da braucht man sich dann auch wirklich nicht wundern, dass unsereiner nicht heiraten will, oder? Wenn man erst geliebt wird, wenn man schon selig ist.

Weil mir das jetzt zu blöd wird und ich außerdem eine mordswichtige Verabredung mit dem Flötzinger hab, schnapp ich mir den Ludwig und geh dann mal lieber.

Beim Wolfi treff ich dann außer dem Heizungs-Pfuscher auch noch den Metzger. Ein bisschen später stößt der Papa dazu, weil er von dem ganzen fetten Essen jetzt unbedingt ein Schnapserl braucht. Der Papa und der Simmerl haben gleich einen gemeinsamen Nenner gefunden, nämlich Sauen. Weil der Papa, bevor er anfing, dem Nichtstun zu frönen, sein Leben lang eine Schweinezucht gehabt hat, und der Simmerl schon rein berufsbedingt genauso versaut ist. Sie setzen sich hinter ins Eck und geben sich dann ihren Schweinereien hin.

Der Flötzinger, der Wolfi und ich, wir würfeln ein bisschen. Aber nicht besonders lang, weil der blöde Heizungs-Pfuscher halt immer bescheißt. Schon immer. Quasi seit ich denken kann.

Dann kommt die Frau Beischl rein. Die Frau Beischl ist eine Stammkundschaft von mir, oder zumindest war sie es bis vor Kurzem. Da sind nämlich die zwei Kerle verhaftet worden, die sie ständig verdroschen haben. Mit einem von ihnen ist sie verheiratet. Gedroschen aber haben sie sie beide. Gebumst auch. Zwei Brüder sind das und teilen sich jetzt brüderlich eine Zelle. Sitzen ein Weilchen wegen schwerer Körperverletzung. Drum ist es ihr wahrscheinlich auch fad so allein daheim. Deshalb kommt sie wohl jetzt öfters mal zum Wolfi rein. Die Frau Beischl ist eine Nymphomanin, das weiß ein jeder hier im Dorf. Besonders dann, wenn sie besoffen ist.

»Da schau her, die Frau Beischl«, ruft der Flötzinger, kaum dass sie zur Tür herinnen ist. Sie freut sich und kommt gleich einmal her zu ihm.

»Ein Schnapserl?«, fragt er auffordernd.

»Gern«, sagt sie und lächelt ihn an.

»Dann machst gleich mal zwei doppelte, Wirt.«

Der Wolfi grinst und gehorcht.

Dann läutet mein Telefon. Und das ist halt wieder ärgerlich. Noch ärgerlicher ist es aber, dass der Moratschek dran ist. Einfach unglaublich. Nicht einmal in der Nacht hast deine Ruh.

Ich muss kommen, sagt er, unbedingt und gleich. Es ist was Entsetzliches passiert. Ein Schweinskopf liegt in seinem Bett.

Ja, gut, wenn ein Schweinskopf in seinem Bett liegt, dann muss ich da wohl hin und mir das anschauen. So was hat man schließlich auch nicht alle Tage.

Er gibt mir seine private Adresse durch und sagt, er steht vor dem Haus. Also dann. Fahr ich halt hin.

»Servus miteinander«, ruf ich noch ins Lokal. »Ich muss schnell mal weg. Beim Moratschek liegt ein Schweinskopf im Bett.«

»Kann ich mitfahren?«, fragen der Papa und der Simmerl direkt gleichzeitig. Wie die kleinen Kinder, wirklich. Aber ich bin quasi schon draußen.

Kapitel 6

Ich kann ihn schon von Weitem sehen. Er steht im Schlafanzug mitten auf der Fahrbahn und rudert mit beiden Armen. Und bis ich schau, sitzt er auch schon bei mir auf dem
Beifahrersitz.

»Fahren S' los! Jetzt fahren S' doch endlich!«, hechelt er
mir her.

»Und wo genau soll ich denn bitte schön hinfahren?«

»Ja, das ist mir doch wurst. Bloß weg da!«

»Und der Schweinskopf?«, sag ich und steig aus.

»Gehen S' da nicht rein, Eberhofer. Bitte!«, wimmert der
Richter. Aber es ist schon zu spät. Weil: der Ludwig und
der Franz gehen da nämlich jetzt schon rein. Komme, was
wolle.

Das Schlafzimmer zu finden ist in diesem Fünfzehn-
Zimmer-Haus gar nicht so einfach. Aber dank der wunderbaren Nase vom Ludwig finden wir es dann doch. Und
zwar nicht etwa wegen den Ausdünstungen der Familie
Moratschek, sondern mehr wegen dem Schweinefleisch,
das der Ludwig jetzt wittert. Er macht sich auch gleich
daran, eine Mahlzeit zu nehmen. Das muss ich ihm aber
leider vergeigen. Weil der Schweinskopf natürlich Beweis-
material ist. Logisch. Ausschauen tut es furchtbar hier, ehrlich. Auf diesen blütenweißen Laken dieser blutverklebte
Saukopf. Passt einfach nicht. Wobei der Gesichtsausdruck
ganz entspannt ist. Also der von der Sau, mein ich. Ja,
direkt freundlich sogar. Unter den zwei Nasenlöchern ein
entspanntes Lächeln, könnte man meinen. Keinerlei Pa-

53

nik in der Mimik. Aber unappetitlich eben schon irgendwie.

»Es ist der Pate«, sagt der Moratschek und erschreckt mich damit zu Tode. Steht einfach plötzlich im Türrahmen und faselt unverständliches Zeug.

»Welcher Pate?«, frag ich.

»Na, der vom Fernsehen halt. Der mit dem Corleone, dem Marlon Brando, wissen S' schon.«

»Das war aber ein Pferdekopf.«

»Pferdekopf … Schweinekopf … was spielt denn das für eine Rolle. Jedenfalls ist es grauenvoll.«

»Besonders für die Sau.«

»Bitte, bringen S' mich weg da!«

Der werte Richter bibbert an Händen und Füßen. Also such ich seinen Mantel und verfrachte ihn und den Richter in den Streifenwagen. Dann fahr ich zum Wolfi. Dort kriegt er ein Schnapserl für die Nerven und ein Gespräch mit dem Simmerl und dem Papa. Die wollen alles wissen. Über jede einzelne Borste sozusagen.

Ich fahr natürlich wieder zurück und ruf davor noch schnell in der PI Landshut an.

»Beim Moratschek schon wieder?«, sagt der Kollege in der Einsatzzentrale und lacht. »Da waren wir doch erst wegen einer ominösen Nachricht auf der Windschutzscheibe.«

»Und jetzt liegt ein Schweinskopf in seinem Bett«, sag ich.

»Ja, klar«, sagt der Blödmann und lacht dreckig. »Ich schick ein paar Leute mit Kamera und Pipapo.«

Wie ich ankomm, sind sie schon da, die werten Kollegen, und wir schreiten zum Tatort. Was aber die ganze Sache einigermaßen mysteriös macht, ist, dass der Schweinskopf jetzt weg ist. Das Kopfkissen blutig, aber nicht arg, könnte gut auch von Nasenbluten sein, aber weit und breit kein

Schweinskopf mehr. Das ist ja lustig. Das heißt, so lustig dann auch wieder nicht, weil mich die Kollegen halt schon anschauen, wie wenn *ich* eine Schraube locker hätt. Wir durchsuchen jeden beschissenen Winkel in allen fünfzehn Räumen, aber nix. Gar nix. Von einem Schweinskopf ganz zu schweigen. Nicht mal der Ludwig wittert was. Der liegt mit der Schnauze auf dem blutigen Kopfkissen und trauert seiner Beute nach.

Die Kollegen verdrehen die Augen in alle Richtungen und blasen schließlich zum Rückzug. Und für mich gibt's hier eigentlich auch nicht mehr wirklich was zu tun.

Zurück beim Wolfi ist die Stimmung ziemlich gut. Der Moratschek berichtet voller Inbrunst von seinen aktuellen Erlebnissen, und der Papa und der Simmerl kleben an seinen Lippen. Da mag ich mit meiner Verlustmeldung gar nicht erst reinplatzen. Der Flötzinger klebt ebenfalls an Lippen, aber das sind die von der Frau Beischl. Ich brauch nun auch dringend einen Schnaps für den Magen, und dann möcht ich heim. Weil morgen nämlich wieder ein neuer Tag ist. Und der beginnt bekanntlich mit dem Ende der Nacht. Und die liegt mittlerweile eh schon in den letzten Zügen. Also brech ich mit dem Ludwig auf. Die illustre Männerrunde will noch bleiben, weil sie sich gern noch ihrem Schweinskram hingibt.

Zwei Stunden später steh ich aufrecht im Bett, und schuld dran, wie könnt es anders sein, sind wieder mal meine Freunde aus Liverpool. Ich stampf also durch den Hof mit wutenbrannten Schritten – und zielstrebig dem Gejaule entgegen. Der Moratschek und der Papa sitzen am Boden, völlig entspannt, inmitten der komplett ausgebreiteten Plattensammlung. Man kann keinen Schritt mehr tun, ohne auf irgendeinen Oldie zu treten. Der Papa sitzt mit dem Rücken zu mir. Aber der Moratschek kann mich gut sehen.

»Eberhofer!«, schreit er begeistert und winkt zu mir rüber.

»Ja?«, schreit der Papa und schaut ihn an. Dann aber dreht er sich langsam zu mir um.

»Wag es nicht!«, sagt er noch, aber es ist schon passiert.

Nachdem mein Magazin leer ist, kann von Entspannung keine Rede mehr sein. Der Papa wetzt auf allen vieren herum, umarmt zuerst seinen desolaten Plattenspieler und sammelt dann sämtliche Scherben vom Boden auf. Und der Moratschek hüpft noch immer von einem Bein auf das andere, dabei ist das Magazin ja längst leer.

Ich geh in meinen Saustall zurück und versuche weiterzuschlafen. Eine Zeit lang klappt das auch ziemlich gut. Dann aber läutet mein Telefon. Es ist fünf Uhr zwanzig, und es ist zum Kotzen.

Dran ist der Simmerl.

»Du, Franz«, sagt er. »Mir geht grad einer ab!«

»Und wegen dem rufst du mich mitten in der Nacht an?«, schrei ich in den Hörer.

Wie sich dann aber rausstellt, ist es ein Schweinskopf, der ihm abgeht. Und zwar ist der tüchtige Metzger wie jeden Morgen ins Kühlhaus am Landshuter Schlachthof gefahren, um seine bestellte Tagesration Fleisch abzuholen. Und dort hat er es gemerkt. Eben, dass ihm ein Schweinskopf fehlt. Und das will er jetzt melden.

»Das ist bestimmt der Kopf vom Moratschek«, sagt der Simmerl.

»Bist du sicher? Nicht eher der von der Sau?« Der Simmerl seufzt.

»Ist denn eingebrochen worden?«, frag ich jetzt und setz mich im Bett auf. Die Nachtruhe, soweit man überhaupt davon reden kann, ist jetzt sowieso im Arsch. So viel ist sicher.

»Nein«, sagt der Simmerl. »Aber weißt, tagsüber kann da

sowieso ein jeder rein oder raus. Da wird nichts abgesperrt. Es sind ja immer irgendwelche Metzger da. Normal kann da keiner was klauen.«

»Offensichtlich schon«, sag ich noch. Und dass ich gleich da bin. Gleich nach dem Frühstücken praktisch.

Wie ich ins Wohnhaus komm, fegt die Oma grad die Plattenscherben zusammen.

»Hat er's wieder recht übertrieben heut Nacht, der alte Depp?«, will sie wissen.

Ich nicke.

Sie schaut in mein total übernächtigtes Gesicht und schlenzt mir die Wange.

»Ich mach dir gleich ein sauberes Frühstück, Bub.«

Dann kommt der Moratschek im Schlafanzug rein. Logisch, was anderes hat er ja nicht dabei.

»Kann ich mal kurz telefonieren?«, fragt er.

Ich deute mit dem Kinn rüber zum Telefon.

»Und wer ist er?«, fragt mich die Oma jetzt.

»Ein neuer Freund vom Papa«, sag ich und deute ihr Bescheid.

»Möcht der vielleicht auch ein Frühstück?«

Der Moratschek winkt ab. Ich kann hören, wie er sich krankmeldet. Anschließend hebt er die Hand zum Gruße und entschwindet dahin, woher er gekommen war.

Die Oma und ich machen ein erstklassiges Frühstück, und danach fahr ich auch schon zum Simmerl rein.

Der ist grad mit einigen Seinesgleichen über eine riesige Schlachtschüssel gebeugt und wühlt beidhändig in der dampfenden Masse.

Ich schau mir den Tatort an, kann aber nix Auffälliges finden. Auch ist das Türschloss völlig unbeschädigt. Und ich muss feststellen, dass hier tatsächlich ein ewiges Kommen und Gehen ist. Irgendwelche Menschen in weißen Kitteln und Gummistiefeln laufen ständig herum und hieven Fleisch von A nach B. Also bestimmt keine große Sache, hier einen Schweinskopf zu entwenden. Der Simmerl packt derweil seinen Lieferwagen voll, und dann verabschieden wir uns auch schon.

Wie ich am Abend nach einem langen Kampf gegen Verbrechen und Müdigkeit zum Hof reinfahre, steht ein alter VW-Bus mittendrin. Also mitten im Hof, mein ich. Davor die Herren Eberhofer Senior und Moratschek.

»Ein Relikt aus meiner Jugend«, sagt der Richter und meint offensichtlich den alten Hobel. Ebenfalls offensichtlich sind sie gerade im Begriff, Teile aus dem Wagen ins Haus zu transportieren. Bei genauerer Betrachtung ist es eine Hi-Fi-Kompaktanlage allererster Klasse samt dazugehöriger Plattensammlung.

»Stones!«, schnauft der Moratschek unter seiner Last heraus.

»Was genau soll das werden, wenn's fertig ist?«, muss ich jetzt wissen. Ein paar Platten fallen hinunter.

»Geh, Eberhofer, sind S' doch so gut …«, sagt der Richter und deutet auf das Liedgut am Boden.

Das fällt mir ja im Traum nicht ein, und so steig ich einfach drüber weg und folge den Trägern in Richtung Wohnraum. Die Ecke, wo üblicherweise der Plattenspieler vom Papa steht, gähnt geradezu vor Leere. Aber nur kurz. Dann erhält sie nämlich ruckzuck neuen Glanz durch die geschickten Hände meiner Vorgänger. Die beiden stehen davor und betrachten zufrieden ihr Werk. Höchstzufrieden, würd ich sogar sagen.

»Müssen Sie nicht einmal wieder heim zu Ihrer lieben Frau?«, frag ich jetzt den Richter.

Der schüttelt den Kopf und fängt an, die Platten zu sortieren.

»Die ist doch auf ihrer Kur. Vier Wochen lang. Wie jedes Jahr. Das tut uns gut, wissen S'. Nach so vielen Jahren Ehe. Ich bin mit unserem Hausarzt befreundet. Und der hat vollstes Verständnis dafür«, sagt er und geht dann in den Hof, um die gefallenen Schätze zu bergen. Der Papa kniet vor der Anlage und hat schon ekstatische Zuckungen. Ein Karton voller Rotwein steht auf dem Wohnzimmertisch. Das kann ja heiter werden. Ich taste nach meiner Waffe, nur um sicherzugehen, dass sie da ist.

»Ach, Franz, bevor ich's vergess«, ruft der Papa rüber. »Ich hab dir ein paar Ohropax drüben auf den Nachttisch gelegt.«

Jetzt geht's aber los.

»Jetzt geht's aber los«, sag ich. »Bloß, weil ihr zwei Althippies euch dem Alkohol und dem Wahnsinn hingebt, muss ich mit Plastik in den Ohren schlafen?«

Ich taste erneut nach meiner Waffe. Sie ist immer noch da und fühlt sich gut an.

»Ja, und noch was, Franz«, sagt der Papa grinsend und zieht eine Pistole hervor.

Ich fass es nicht.

Dann schau ich den Moratschek an. Aber der präsentiert mir jetzt ein ebensolches Schießeisen.

Beide lachen.

»Wann müssen Sie eigentlich wieder zur Arbeit?«, frag ich den Richter.

»Sobald der Küstner hinter Gittern ist. Vorher tu ich keinen Schritt mehr hier weg. Gell, Eberhofer?«

Damit meint er den Papa. Der schüttelt den Kopf.

»Auf gar keinen Fall«, sagt er. »Das wär ja schwer fahrlässig.«

Dann setzen sie sich einträchtig auf den Boden und versinken in der Antike.

Jetzt muss der Küstner aber wirklich gefunden werden. Und zwar umgehend. Weil: mit dem Papa kann man gut leben. Na ja, gut ist vielleicht auch übertrieben, aber man kann schon mit ihm leben. Was aber gar nicht geht, sind die beiden im Doppelpack. Da ist der kreisrunde Haarausfall ja quasi schon vorprogrammiert. Also muss ich was tun. Und zwar sofort. Oder sagen wir: vielleicht morgen. Weil: heut … heut bin ich schon stehend k. o. wegen letzter Nacht. Also quetsch ich mir die Stöpsel ins Ohr und ergeb mich meiner Trägheit.

Ich kann den Mick Jagger gut hören, es ist ›Angie‹, was er singt. Aber er singt es von Weitem. Praktisch wie aus dem Nachbardorf. Und so kann ich trotzdem einwandfrei schlafen.

Am nächsten Tag in der Früh geht's mir fabelhaft, und trotz der ganzen nächtlichen Singerei bin ich direkt gut drauf. Was zum einen natürlich an der Entfernung liegt. Weil es bedeutend angenehmer ist, wenn im Nachbarort gegrölt wird, wie direkt vor der eigenen Haustür. Zum anderen liegt es aber natürlich auch an den Stones. Die sind nämlich für mich direkt eine Seelensalbung. Wenn man bedenkt, dass nach fast vierzig qualvollen Jahren jegliches Verständnis meinerseits ausgebeatelt ist. Und jetzt endlich mal etwas anderes ertragen zu dürfen. Wunderbar. Angie, geht es mir so durch den Kopf. Angie ist klasse.

Leider ist es mir dann aber nicht möglich, meine Ohrstöpsel wieder zu entfernen. Jedenfalls nicht eigenhändig. Ich hab sie nämlich aus lauter Panik vor der nächtlichen Ruhestörung so dermaßen tief hineingestopft, dass ich sie nur mit Hilfe von der Oma und ihrer Häkelnadel wieder herausbekomme. Da ich aber wie gesagt heute gut drauf bin, reg ich mich darüber gar nicht erst auf, sondern freu mich des Lebens, auch mit entzündeten Ohrmuscheln.

Trotzdem muss ich jetzt möglichst schnell den Küstner finden. Schließlich kann der ehrenwerte Herr Richter nicht bis zu seiner Pensionierung hier rumdümpeln. Ganz zu schweigen, wenn erst sein Weib aus der Kur heimkommt.

Ich sitz also grad so in meinem Büro, mach mir meine Gedanken und lande schließlich beim Birkenberger Rudi. Der Birkenberger Rudi ist mein Freund seit den heißen Münchner Tagen. Damals war er mein Streifenkollege. Leider konnte er sich bei der Verhaftung eines Kinderfickers einfach nicht beherrschen und hat ihn kastriert. Mit seiner Dienstwaffe. Die musste er daraufhin abgeben. Und auch seinen Dienstausweis. Nach seiner Haftstrafe aber hat er schnell wieder Fuß gefasst und er ist mittlerweile Inhaber einer florierenden Privatdetektei. So ab und zu hat er mir schon hilfreiche Dienste geleistet in meinen spektakulären Aufklärungsfällen. Einmal sogar auf Mallorca. In einem Romantikhotel. Ja, ich war einmal zwei Wochen lang mit dem Rudi in einem Romantikhotel, frag nicht. Weil seine Urlaubspartnerin kurzfristig abgesprungen ist. Wen wundert's? Nichtsdestotrotz haben wir da einen brutalen Vierfachmörder überführt. Astreine Sache. Aber das ist eine ganz andere Geschichte. Schauen wir lieber mal, was er grad so treibt, der Rudi. Dazu muss ich vielleicht sagen, er hat einen leichten Hang zum Weibischen. Nein, keinesfalls schwul, viel eher der Typ Hausfrauentröster. Aber halt zickig bis dorthinaus. Und vermutlich ist er momentan schwer beleidigt, weil ich mich seit Langem nicht mehr bei ihm gemeldet hab. Darauf bin ich vorbereitet.

Kapitel 7

»Privatdetektei Birkenberger, schönen guten Morgen. Was kann ich für Sie tun?«, flötet es aus dem Hörer, und es ist definitiv nicht die Stimme vom Rudi.

»Eberhofer, Franz Eberhofer. Den Herrn Birkenberger hätt ich gerne gesprochen.«

»In welcher Angelegenheit?«

In welcher Angelegenheit!

»Ja, so mehr privat vielleicht.«

»Wie war der Name noch mal?«

»Eberhofer. Franz Eberhofer.«

»Einen kleinen Moment bitte, Herr Eberhofer«, flötet sie noch, dann ertönt die Privathymne vom Haindling: ›Bayern, des samma mir. Jawoi!‹

Typisch Birkenberger.

»Tschuldigung?«, flötet es wieder.

»Ja?«

»Der Herr Birkenberger ist für Sie leider momentan nicht zu sprechen, Herr Eberhofer. Ich bedaure.«

Sie bedauert. Ja, dann.

»Dann flöten S' dem Herrn Birkenberger einen schönen Gruß von mir, Gnädigste. Und dass er mich recht fest am Arsch lecken kann.«

Ich leg dann mal auf.

Es dauert genau vierundfünfzig Sekunden, dann läutet mein Telefon.

»Büro vom Kommissar Eberhofer. Schönen guten Morgen. Was kann ich für Sie tun?«

Unglaublich, wie gut ich flöten kann. Erkennen tut er mich trotzdem gleich. Ja, der Birkenberger kennt mich praktisch wie kein anderer.

»Was bildest du dir eigentlich ein, meine Sekretärin so unverschämt zu beleidigen?«, hechelt er mir durch den Hörer.

»Ich hab deine hochherrschaftliche Sekretärin nicht im Geringsten beleidigt, sondern ausschließlich dich, lieber Rudi.«

»Was willst du?«

»Was ich will? Mich einfach mal melden und fragen, wie's dir so geht.«

»Nein, nein, Eberhofer. Wenn du nach über einem Jahr so mir-nix-dir-nix hier anrufst, steckt was dahinter. Also, raus mit der Sprache! Was ist es?«

Himmelherrschaft, es klappt nicht! Er kann nicht einfach so locker mit mir ratschen, und wir kommen dann wie zufällig auf das Thema. Nein, es ist ihm eine Freude, meinen Plan zu durchkreuzen.

Aber nicht mit mir!

»Ja, Rudi«, sag ich. »Wenn du keine Zeit hast für deine alten Freunde, oder auch gar keine Lust, dann melde dich einfach, wenn's denn genehm ist, gell.«

Und ich leg wieder auf. Oder besser, ich tu so, als ob ich auflegen möchte. Ein bisschen am Hörer kratzen, das wirkt immer.

»Franz, warte!«, hör ich's noch aus dem Hörer.

Na also.

Und nach einer Dreiviertelstunde Privatgespräch kommen wir dann quasi wie durch Zauberhand auf den Küstner-Fall. Er hat bereits davon in der Zeitung gelesen und findet die Sache ebenfalls einfach unglaublich.

»Weißt du, dass der den Moratschek bedroht hat?«, muss

ich jetzt fragen. Der Rudi kennt den Richter nämlich auch gut, und so dürfte das sein Interesse wecken. Tut es auch. Meine Rechnung geht auf. Zumindest bis zu dem Punkt, wo ich erzähl, dass der Moratschek momentan bei uns daheim residiert.

»Ich hab's doch gewusst!«, schreit mir der blöde Privatschnüffler ins Telefon. »Du brauchst meine Hilfe, oder? Und womöglich wieder für gratis, stimmt's? Ach, verdammt, Franz, warum tust du mir das an?«

Hab ich's nicht gesagt? Er hat diesen Hang zum Weibischen.

Wenigstens können wir uns dann insofern einigen, als ich morgen zu ihm nach München komm. Weil: morgen ist Samstag. Am besten ist es nachmittags, sagt er, weil er vormittags ausschläft und abends eine mordswichtige Observierung hat.

Wie ich am Abend zum Wolfi reinkomm, steht der Flötzinger am Tresen. Ich freu mich auf ein unterhaltsames Schwätzchen mit einem alten Kumpel, aber er macht mir gleich einen Strich durch die Rechnung. Kauft eine Flasche Williams Birne und macht sich vom Acker.

»Warum nimmt er denn die Flasche mit und trinkt sie nicht hier? Ist er bei den anonymen Alkoholikern?«, frag ich den Wolfi gleich.

»Eher bei den geheimen Fremdgängern. Wenn du mich fragst, fährt der zur Beischlin.«

Zur Beischlin. Ja, klar.

Warum erst in einem schäbigen Lokal wertvolle Energie mit Geschwätz verschwenden, wenn man bei einer Heimlieferung gleich und ohne Vorwort ans Eingemachte kann?

Das leuchtet ein.

»Wenn seine Mary das erfährt, kann er sich warm anziehen«, sagt der Wolfi und reicht mir mein Bier übern Tresen.

»Und wenn die Beischl-Brüder das erfahren, braucht er sich erst gar nicht mehr anziehen, da kann er sich gleich einsargen lassen«, sag ich und nehm einen großen Schluck.

Der Simmerl kommt rein.

»Ratet's mal, wen ich grad gesehen hab«, sagt er und trinkt mein Bier auf Ex.

»He!«, schrei ich.

Der Simmerl ordert zwei neue, und die stehen auch umgehend parat. Weil er keine rechte Antwort kriegt, beginnt er von vorne.

»Da kommt's ihr nie drauf!«

Er wirft auffordernde Blicke aus einem geheimnisumwitterten Gesicht. Der Wolfi und ich sind uns einig. Keinerlei Reaktion.

»Den Flötzinger!«, sagt der Simmerl.

Wenn man davon ausgeht, dass der Simmerl und der Flötzinger im Regelfall mindestens einmal täglich aufeinanderprallen, ist diese Auskunft mehr als unspektakulär. Aber er gibt noch nicht auf.

»Und ratet's mal, wo!«

Meine Herren, kann der nicht einfach das Maul halten und sein Bier trinken? Oder wenigstens nur das Maul halten?

»In der Apotheke!«

Aha.

»Aha«, sag ich, weil er mir fast schon leid tut mit der ganzen Ignoriererei.

»Und ratet's mal, was er gekauft hat!«

»Du, Simmerl«, sagt der Wolfi ganz ruhig. »Entweder erzählst du es jetzt oder du lasst es bleiben. Aber hör mit diesem Kindergartenspielchen auf, kapiert?«

»Also, gut. Das war so, die Gisela … die Gisela hat eine Nasennebenhöhlenentzündung, das kann man sich gar nicht vorstellen. Verschleimt bis zum Gehtnichtmehr. Alles zu. Ein Gerotze den ganzen Tag, erbärmlich. Also renn ich los und hol Medizin.«

Der Wolfi und ich fangen zu würfeln an.

»Jetzt passt's doch einmal auf, Herrschaft! Das Beste kommt doch erst«, sagt der Simmerl, und es beruhigt mich, dass wir das Beste nicht etwa schon versäumt haben.

»Und da steht der Flötzinger an der Kasse, gell. Und was kauft er, der Flötzinger? Ein Viagra kauft er! Ist das nicht super?«

Der Wolfi und ich verbeißen uns ein Grinserl.

Der Simmerl ist enttäuscht. Weil er halt jetzt ein Mordshurra für seine Exclusive-News erwartet hat.

»Ach, leckt's mich doch am Arsch!«, knurrt er uns her, trinkt sein Bier aus und geht. Das heißt, genau in dem Moment, wo er zur Tür raus will, will der Papa rein. Sie schütteln sich kurz die Hand.

»Wolltest du zu mir?«, fragt der Simmerl den Papa.

»Nein, zum Franz«, sagt der Papa.

»Mit dem brauchst heut gar nicht reden, weil er deppert ist«, sagt der Simmerl.

»Deppert ist der immer. Reden muss ich trotzdem mit ihm«, sagt der Papa und grinst.

Der Neugier halber bleibt der Simmerl im Türrahmen stehen.

Dann erfahr ich, dass morgen die Sushi zu Besuch kommt. Und zwar allein. Weil ihre Ernährer in ihrer großartigen Buchhandlung eine großartige Autorin beweihräuchern müssen. Und weil ich der auserwählte Lieblings-Babysitter vom Zwerg Nase bin, ordert der Papa meine Anwesenheit. Da hat er sich aber geschnitten. Weil der Franz nämlich morgen den Birkenberger Rudi in München besucht. So ist es vereinbart. Also nix mit Onkel Franz.

»Ich hab's dir ja gleich gesagt, Eberhofer. Der ist deppert«, sagt der Simmerl noch. Dann verlassen sie Schulter an Schulter das Lokal.

»Viagra!«, grinst der Wolfi und schenkt uns ein Schnapserl ein.

»Sechserpasch«, sag ich.

»Unglaublich«, sagt der Wolfi, und wir stürzen den Schnaps in unsere Kehlen.

›I can't get no satisfaction‹ tönt es übern Hof, genau wie ich heimkomm. Ich schau so durchs Fenster und kann sie schon sehen. Ein mittlerweile vertrautes Bild, zwei ältere Herren zwischen Schallplatten des gleichen Semesters und Rotweinflaschen, nicht wesentlich jünger. Neu an dem Bild ist aber der Simmerl. Der Simmerl sitzt auf einem Sessel, weil er vermutlich nie mehr in die Höh käm, würde er am Boden sitzen. Er sitzt etwas seitlich, rechts außen, würd ich mal sagen, und raucht einen Joint. Den reicht er dann weiter an den Papa. Nach einem tiefen Zug wechselt das Rauschgift erneut seinen Genießer und klebt jetzt an richterlichen Lippen.

Ich hab das Wohnzimmer noch kaum betreten, da zielen zwei Pistolen genau in meine Richtung.

»Keinen Schritt weiter!«, schreit der Papa.

Der Moratschek lacht.

»Sag einmal, was wird das hier?«, frag ich so durch den süßlichen Qualm hindurch.

Der Moratschek lacht.

»Keinen Schritt weiter!«, schreit der Papa.

»Leg die Waffe weg«, sag ich und geh direkt auf ihn zu.

Ein Schuss löst sich und schlägt genau über mir in den Deckenbalken ein. Ich schau auf das Einschussloch.

»Keinen Schritt weiter!«, schreit der Papa.

Aber ich denk gar nicht dran, sondern geh vielmehr pfeilgrad auf ihn zu.

»Der ist deppert«, sagt der Simmerl.

Der Moratschek lacht.

Ich geh hinter in die Ecke und stell die Musik ab.

»Keinen Schritt weiter!«, schreit der Papa, und in der nun eingetretenen Stille ist das natürlich unglaublich laut. So laut, dass er selber erschrickt.

Ich nehm ihm seine Waffe ab.

Dann pack ich den Simmerl untern Arm und bring ihn zur Haustür.

Der Papa schüttelt den Kopf und geht dann ins Bett. Der Moratschek sitzt am Boden und raucht den Joint.

»Eberhofer, Ihr Vater ist eine Granate!«, lallt er. Außerdem lacht er. Auch wie ich ihn in sein Zimmer bring. Erst wie ich ihn seiner Drogen entledigen möchte, macht er Schluss mit lustig. Aber es hilft ihm alles nix. Da kann er jammern und an die Tür klopfen. Bis morgen Früh bleibt die zugesperrt.

Tags darauf sitz ich im Zug auf dem Weg nach München. Die Sushi sitzt auf meinem Schoß und klatscht ihre Hände gegen meine Backen. Ja, saudummerweise ist sie nämlich im Moment mitten in einer Fremdelphase. Und weil sie außer ihrer Mutter, ihrem Vater (was mir ein absolutes Rätsel ist) und der Oma halt leider nur mich mag, war es unumgänglich, sie mitzunehmen. Ebenso unumgänglich war es, die Oma mitzunehmen. Weil die Oma den Zwerg Nase freilich nicht hören kann, und ich sie ums Verrecken nicht wickeln kann, sind wir also jetzt im Dreierpack unterwegs.

Der Rudi freut sich, wie er uns sieht.

»Ah, ein Familienausflug«, sagt er zur Begrüßung. »Ja,

Frau Eberhofer, sind S' vielleicht wieder ein bisschen eingegangen?«

Rein akustisch kann die Oma das nicht wahrnehmen. Aber aufgrund seines Gesichtsausdrucks haut sie ihm schon vorsichtshalber mal gegen das Schienbein.

»Wir müssen wo hin, wo die Oma ein bisschen bummeln kann und wir trotzdem reden können«, schlag ich vor.

Tatsächlich finden wir bald einen wunderbaren Italiener mit einem noch wunderbareren Shoppingcenter direkt ums Eck. Dorthin watschelt die Oma dann los, und wir bestellen uns einen kleinen Wein und ein Tiramisu. Perfekt.

Der Rudi erzählt mir ein bisschen von seinen großartigen neuen Büromöbeln in seiner großartigen Privatdetektei und natürlich auch von seiner großartigen Sekretärin. Aber dann komm ich doch ziemlich schnell zum Zug, weil der Rudi sowieso schon seine gönnerhafte Wie-kann-ich-dir-helfen-Visage trägt.

»Das ist doch alles ganz einfach, Franz«, sagt er dann, während ich die Sushi mit Tiramisu abfülle.

»Der Küstner ist entweder über alle Berge oder genau vor eurer Haustür. Alles andere macht keinen Sinn, verstehst du?«

Ich nicke und trinke mein Glas halbleer.

Dann wackelt die Oma zur Tür rein und schreit uns entgegen, dass die Gläser vibrieren.

»Franz«, schreit sie und watschelt auf uns zu. »Die Münchner, die sind ja direkt plemplem. Preise haben die, da kriegst ja Zuständ. Schau ich vielleicht aus wie der Onassis? Komm, fahren wir nach Haus.«

Der Franz kann aber noch nicht nach Haus fahren, weil er noch keinen einzigen Millimeter weiter gekommen ist. Das erklär ich der Oma mit Händen und Füßen. Sie setzt sich bockig zu uns und bestellt sich ein Eis.

»Mir ist langweilig«, sagt sie, nachdem ihr Becher leer ist. Es ist zum Wahnsinnigwerden. Irgendwie schaffen wir es aber, sie zu einem erneuten Bummel zu bewegen. Sie soll noch mal ganz genau gucken, nicht, dass sie hernach noch was verpasst, sag ich zu ihr. Und, dass sie es ja nicht wagen soll, vor Ablauf von zwei Stunden zurückzukommen. Sie kapiert's und zieht eine Lätschn. Aber immerhin verlässt sie das Lokal. Dann bestell ich ein neues Tiramisu. Die Sushi freut sich.

»Also, wie soll ich bitte schön rausfinden, wo der Küstner so rumhängt«, frag ich dann den Birkenberger, um das Thema wieder aufzunehmen.

»Wie soll ich das rausfinden! Herrschaft, Franz, du bist Polizist. Bring bitte mal deine Gehirnzellen in Wallung!«

Er hat schon wieder diesen überheblichen, besserwisserischen Tonfall drauf. Mit einer leichten Tendenz ins Weibische. Ekelhaft.

Aber gut, ich versuch, meine Gehirnzellen in Wallung zu bringen. Zuerst einmal aber versuch ich, die Sushi zu beruhigen. Weil die jetzt zu flennen anfängt, mein lieber Schwan. Sie macht ein Bäuerchen. Dann ist es gut. Aber nur kurz. Und das Gekeife geht von vorn los. Der Birkenberger verdreht die Augen und fühlt sich offenbar in seinem Referat gestört.

Vielleicht hat sie Durst, strömt es so durch meine wallenden Gehirnzellen. Ich winke dem Ober.

»Ein Wasser für die Kleine«, sag ich.

»Wasser … Wasser, Signore. Sie müssen ihr Wein geben. Nur ein kleines Schlückchen, capito? Dann ist Ruhe. So sind wir groß geworden, wir Italiener. Und, hat es uns geschadet?«

Na ja, so arg groß ist er eigentlich nicht geworden, der italienische Gschaftelhuber. Aber so groß müssen ja Mädchen auch gar nicht werden, oder? Ich geb ihr den Rest aus meinem Weinglas. Sie leert ihn auf Ex. Dann schläft sie ein.

Da meine Gehirnzellen jetzt völlig durcheinander wallen, übernimmt der Rudi wieder das Kommando.

»Du musst einen Köder auslegen, damit du es rauskriegst, Franz«, sagt er und nippt an seinem Glas, das ungerechterweise noch fast voll ist.

»Einen Köder? Du meinst, ich soll den Moratschek vor unserm Haus auf- und abgehen lassen?«

»Zum Beispiel«, sagt der Rudi und lehnt sich selbstgefällig zurück. »Schau, wenn der Küstner dem Moratschek was antun will, und du wissen willst, wo der Küstner so rumhängt, gibt's keine andere Möglichkeit.«

Vermutlich hat er recht, der Rudi. Das heißt wohl, den Moratschek zu überzeugen, als Lockvogel in unserem Hof herumzuflattern. Begeisterungsstürme wird das bei ihm nicht grade auslösen.

»Und wie läuft's bei dir so? Bist du wieder schwer am Hinterherschnüffeln?«, frag ich und weiß, dass ich mit diesem Begriff tief ins Innerste seiner Berufsehre stoße. Seine Mimik wechselt prompt von arrogant zu beleidigt.

»Ja, es läuft wie geschmiert, Eberhofer. Wirklich wie geschmiert. Irgendwer geht halt immer fremd, weißt du. Bin viel im Ausland unterwegs. Viel in Italien. Apropos Italien … wie geht's eigentlich deiner Susi?«

Jetzt hat er mich. Die Susi ist nämlich ein empfindliches Thema für mich. Sehr empfindlich sogar. Und weil mich der Birkenberger eben kennt wie seine Westentasche, weiß er das auch.

»Was geht mich die Susi an?«, frag ich erst mal und versuch, einen bockigen Tonfall zu vermeiden. So ganz gelingt es wohl nicht.

Er grinst.

»Wie kommst du überhaupt ausgerechnet auf die Susi?«, frag ich weiter.

»Bloß so halt«, sagt er und nuckelt lange an seinem Weinglas. Sehr lange sogar.

»Wie, bloß so halt?«, will ich nach einer unglaublich unverschämten Ewigkeit dann endlich von ihm wissen.

»Ja, weil ich sie halt manchmal sehe, deine Susi. Gut schaut sie aus. Wirklich gut. Wenn auch nicht sehr glücklich, muss ich vielleicht dazu sagen. Ein bisschen abgearbeitet halt. Aber sonst, wirklich klasse.«

»Und wieso siehst du die Susi manchmal?«

»Ja, weil ich eben viel in Italien zu observieren hab, gell. Und des Öfteren auch in der Nähe von der Susi ihrem neuen Zuhause, verstehst?«

Dann kommt Gott sei Dank die Oma rein. Das heißt, im ersten Moment kann ich sie als solche gar nicht erkennen. Erst wie sie zu schreien anfängt, ist mir klar, dass es sich um die Oma handelt.

»Na, Franz, was sagst?«, will sie wissen, wie sie auf meiner Höhe ist. Sie hat die Haare anders. Krausig und hellblau. Irgendwie schaut sie aus wie ein Pudel. Wie ein Zwergpudel natürlich.

»Ich war beim Friseur. Der war im Angebot. Zwanzig Euro für Dauerwelle und Farbe. Ist das nicht einwandfrei?«

Ja, ganz einwandfrei sogar. Damit dürfte die leidige Unterhaltung mit dem Rudi-Arsch endlich ihr Ende gefunden haben.

Dann erzählt der Zwergpudel, dass ein nettes junges Ding ihr die einwandfreie Frisur verpasst hat. Drei Männer mit Notizzetteln sind drum herum gestanden. Die waren weder nett noch jung. Am Schluss hat das nette junge Ding sogar geweint. Und die Männer haben die Köpfe geschüttelt. Die Oma hat dem Mädchen gesagt, es ist eine ganz wunderbare Frisur. Die wunderbarste, die sie je hatte. Und hat ihr die Hand geschüttelt. Das hat sie gefreut. Und die Männer … die Männer haben blöd geschaut. So erzählt sie's, die Oma.

»Zwanzig Euro«, sagt sie. »Das lass ich mir eingehen. Ich bin doch nicht der Onassis, gell.«

Nein, wie der Onassis schaut die Oma in keinem Fall aus. Nicht die geringste Ähnlichkeit. Und so fahren wir heim.

Kapitel 8

Auf der Zugfahrt geht mir die ganze Sache mit der Susi noch mal so durch den Kopf. Gut schaut sie aus, hat er gesagt, der blöde Privatschnüffler. Wenn auch ein bisschen abgearbeitet. Wahrscheinlich lässt sie ihr toller italienischer Stecher von früh bis spät die Drecksarbeit machen, während er derweil am Strand entlangflaniert. Ja, so sind sie halt, die Südländer. Dolce vita, sag ich da nur. Und die Weiber kriegen womöglich ein Kopftuch um und dürfen sich totschuften. Aber sie hat's ja nicht anders gewollt, die liebe Susi. Hat holterdipolter ihre wunderbare Stellung in unserer wunderbaren Gemeindeverwaltung aufgegeben. Hat die geliebte Heimat verlassen. Und ihre treuen Freunde. Ganz zu schweigen von ihrem lieben Franz. Und alles nur wegen so einem dahergelaufenen Italiener, der ausschaut wie der Luca Toni für Arme. Und jetzt kann sie sich abrackern, die arme Susi. Und der Luca Toni kommt vermutlich längst schon woanders zum Schuss. Ja, das sind so meine Gedanken im Zug. Zumindest, bis mich die Realität einholt. Die Realität in Form einer unerträglichen Duftwolke, die direkt aus meinem Schoß emporsteigt. Ich drück der Oma den Zwerg Nase in den Arm, und sie fängt an zu wickeln.

Wir kommen also heim, und der Papa kriegt das Lachen, so was kann man gar nicht erzählen. Die Frisur muss weg, sagt er. Die schaut ja Scheiße aus. Nix, sagt die Oma. Die Frisur bleibt. Sie war billig, und sie ist wunderbar. Und aus!

74

Wie ich später den Moratschek von meinem Vorhaben unterrichte, fällt er erwartungsgemäß in die Froas. Also epileptische Anfälle Scheißdreck dagegen. Und so mitten in dem Moratschek seine Weinkrämpfe hinein, kommt auch noch der Leopold samt Gattin, um seine kleine Familie zu komplettieren.

Großartig.

Er nimmt die Kleine vorsichtig von der Couch hoch, wo sie grad so rotbackig und friedlich vor sich hin schlummert. Dann küsst er sie auf die Stirn.

Sie grunzt.

»Kann es sein, dass sie nach Alkohol riecht?«, fragt der besorgte Vater jetzt.

Ich zuck mit den Schultern.

Der Papa und die Oma tun es mir gleich.

Der Moratschek verlässt weinend das Zimmer.

»Also?«, hakt der Leopold nach.

»Sie hat ein Tiramisu gegessen. Oder anderthalb. Das zweite hat sie nicht mehr ganz geschafft. Da hab ich den Rest gegessen«, sag ich so.

»Sie hat ein Tiramisu gegessen?«, keift er mir her. »Ja, aber da ist doch Alkohol drin!«

Ich zuck wieder mit den Schultern und bin ziemlich froh, nichts von dem Wein erwähnt zu haben. Dann schnapp ich mir den Ludwig, und wir drehen unsere Runde.

Es hat angefangen zu tauen, und die Temperaturen wandern allmählich in erträgliche Zonen. Mitten in unserem wunderbaren Wald treffen wir auf den Simmerl. Ich lehn da grad so gemütlich am Baum und warte, bis der Ludwig seinen Darminhalt preisgibt, da schnauft er durch die Bäume, der schwere Metzger. Dank erstklassiger Stöcke kann er sich tatsächlich auch bergauf bewegen.

»Servus, Eberhofer«, sagt er vornübergebeugt.

»Servus, Simmerl. Bist wieder schwer im Training«, sag ich so.

Er nickt. Eine Zeit lang sagt er nichts, weil er erst einmal zu einer regelmäßigen Atmung zurückfinden muss. Aber dann: »Ja, ich muss wieder ein bisschen was für die Gesundheit tun. Und für mein Gewicht.«

»Für dein Gewicht hast du schon genug getan. Probier's mal mit dagegen.«

»Haha!«

»Und freilich die ganzen Drogen, gell. Die machen dem Körper auch schwer zu schaffen.«

»Wenn du auf den blöden Joint anspielst, der ist von deinem Vater gekommen.«

Da erzählt er mir ja ganz was Neues.

»Da erzählst du mir ja ganz was Neues. Wo ist denn dein Trainingspartner heut?«, frag ich, weil: wenn der Simmerl seine seltenen Körperertüchtigungsmomente hat, ist normalerweise der Flötzinger im Schlepptau. Aber vermutlich hat der momentan eine ganz andere Art von Körperertüchtigung.

Der Simmerl grinst. Schnauft, grinst und sagt nichts.

Wir verabschieden uns, und ich mach mich mit dem Ludwig auf den Heimweg. Dieses Zusammentreffen hat unsere Rundenzeit auf eins-vierundzwanzig hochgeschraubt.

Beim Eintreffen in die heimatlichen Sphären sitzt der Moratschek am Küchentisch und ist noch immer ganz außer sich. Nie im Leben wird er sich als Köder zur Verfügung stellen. Lieber bringt er sich gleich um. Ihm haben ja schon die Verhandlungstage gereicht. Und erst recht die furchtbare Nachricht auf seiner Windschutzscheibe. Vom Schweinskopf mag er gar nicht erst reden. Nein, lieber schmeißt er sich gleich vor den Zug als die Mausefalle für den Küstner zu spielen, sagt er.

»Die Mausefalle müssen S' ja auch nicht spielen, Moratschek. Das macht schon der Franz. Sie müssen bloß den Speckstreifen spielen«, sagt der Papa.

Auf Speckstreifen hat er aber auch keine Lust, sagt der Moratschek und legt sich beleidigt auf die Couch. Der Papa nähert sich der erstklassigen Hi-Fi-Kompaktanlage. Und ich nähere mich meinem Saustall. Stopf mir die Plastikstöpsel ins Ohr und hau mich aufs Kanapee.

Kapitel 9

Wie sich am nächsten Tag herausstellt, waren dem Moratschek seine ganzen Depressionen völlig für 'n Arsch. Aber alles der Reihe nach.

Die Oma hat ein hammermäßiges Frühstück gezaubert, und so sitzen wir alle vier saugemütlich am Tisch beim kulinarischen Morgenschmaus. Bei der zweiten Tasse Kaffee sagt der Papa mit einem süffisanten Grinsen:

»Wieso bist denn gestern eigentlich nicht mehr reingekommen zu uns? Hast Angst gehabt vor unseren Waffen?«

Ich weiß nicht, wovon er spricht.

»Erstens hab ich überhaupt keine Angst vor irgendwelchen Waffen, und am wenigsten vor den euren. Und zweitens, wo hätt ich denn bitte schön reinkommen sollen? Ich war ja noch nicht einmal irgendwo draußen.«

Die Pfannkuchen von der Oma sind ein Gedicht. Gefüllt mit selbst gemachter Brombeermarmelade, obendrauf ein bisschen Puderzucker – perfekt.

»Du bist doch heut Nacht vor unserm Fenster gestanden. Wir haben dich ganz genau gesehen.«

»Wenn ich nicht urplötzlich zur Minderheit der Schlafwandler gehöre, hab ich heut Nacht mein Bett nicht verlassen. Da hast wohl einen Joint zu viel geraucht.«

»Moratschek, reden S'! War der Franz heut Nacht vor dem Fenster oder nicht? Sie haben ihn doch auch gesehen, oder?«

Der Moratschek schneidet seinen Pfannkuchen in ganz dünne Streifen.

»Ja, gesehen … was heißt da gesehen … ich glaub schon, dass er es war. Zumindest war da jemand vorm Fenster.«

»Ich war ja noch nicht einmal beim Bieseln, geschweige denn vor eurem blöden Fenster«, sag ich.

Der Papa wirft mir einen verächtlichen Blick zu und steht auf. Er geht durch die Tür raus ins Freie und schreit dann nach mir. Ich stopf mir einen halben Pfannkuchen in den Schlund und folge ihm genervt.

»Und was ist das da?«, sagt er und deutet auf nagelneue Fußspuren direkt vor unserem Wohnzimmerfenster. Die schau ich mir genauer an.

»Das weiß ich auch nicht. Jedenfalls sind es nicht meine«, sag ich. »Solche Schuhe hab ich überhaupt nicht. Schau dir doch einmal die schmalen Rillen an. Und die sind ganz eng nebeneinander. Und dann das Format, direkt zierlich. Irgendein eleganter Schuh vermutlich. Allerdings keiner von meinen«, sag ich kauenderweise.

»Der Küstner!«, sagt der Moratschek jetzt, der urplötzlich hinter uns steht und mich zu Tode erschreckt. Der Pfannkuchen hüpft in meiner Gurgel rum, bis ich röchle und mir der Papa auf den Buckel haut.

Dem Moratschek sein Gesicht ist jenseits irgendeiner Hautfarbe. Quasi blass wie ein Winterkartoffelknödel.

»Gehen S', Moratschek«, sagt der Papa ganz mitfühlend und klopft jetzt ihm auf den Buckel. »Die Fußabdrücke könnten von jedermann sein. Die müssen doch nicht zwingend vom Küstner stammen.«

»Aber möglich ist es schon«, sag ich so, und der alte Schulterklopfer schaut mich postwendend bösartig an.

»Ich kenn diese Schuhe«, sagt der Moratschek leise. »Die hat er schon im Gerichtssaal immer getragen. Immer diese feinen dünnen Schuhe. Alle anderen waren in Winterschuhen da. Nur nicht der werte Dr. Küstner. So viel Noblesse musste schon noch sein. Sogar, wie er wegen Mordes verurteilt worden ist.«

»Das ist ja wunderbar«, sag ich. »Dann brauchen wir uns jetzt gar nicht lang das Hirn zermartern, wer hier nachts vor unseren Fenstern rumhängt, sondern wissen schon Bescheid.«

Der Papa und der Moratschek senden Blicke in meine Richtung. Und völlig ohne irgendeine Absprache sind diese Blicke von der exakt gleichen Sorte.

»Ja, gut«, sag ich, um aus der Nummer rauszukommen. »Dann wollen wir doch gleich mal die Kollegen rufen, weil …«

»Nein, auf gar keinen Fall, Eberhofer. Eine Nachricht auf der Windschutzscheibe, die verschwunden ist. Ein Schweinskopf, der verschwunden ist. Und dann Fußabdrücke, die von jedermann hätten stammen können und womöglich auch noch verschwinden, bis die Kollegen eintreffen. Nein, da machen wir uns nur lächerlich«, unterbricht mich der Richter jetzt.

»Plan B?«, frag ich.

»Plan B … ja, Plan B ist, dass ich mich da oben in meine Kammer einsperr, und Sie suchen den Küstner und knallen ihn ab«, sagt er, und plötzlich kriegen seine Wangen wieder Farbe.

»Prima«, sagt der Papa und dreht sich weg. »Genau so machen wir's!«

Die Senioren entfernen sich einträchtig vom Ort des Geschehens und lassen mich mit der zentnerschweren Verantwortung alleine zurück. Der Ludwig drückt mir den Kopf gegen den Schenkel.

Wie ich in mein Büro komm, steht der Bürgermeister drin und hält meine Uniform auf einem Kleiderbügel in die

Höhe. Sie sieht fabelhaft aus. Er muss sie gedämpft haben.

»Ah, einen wunderschönen guten Morgen, lieber Herr Eberhofer«, zwitschert er mir entgegen.

Das riecht nach Arbeit. Oder Nötigung. Oder: egal. Ist ja eh dasselbe.

Ich setz mich erst einmal an meinen Schreibtisch und lehn mich zurück. »Einen wunderschönen guten Morgen, lieber Herr Bürgermeister. Was kann ich für Sie tun? Soll ich den Verkehr regeln oder ein paar Scheine zwicken? Vielleicht einen lieben ausländischen Mitbürger bewachen oder einen Veranstaltungsschutz machen? Soll ich dabei unsere wunderbare bayerische Uniform tragen, oder hätten sie mich lieber wieder nackt?«

»Was ist denn um Gottes willen in Sie gefahren?«, will er jetzt wissen und hängt den Kleiderbügel mit allem Drum und Dran an die Zimmertür.

»Bürgermeister«, sag ich und geh zum Fenster. Verschränke die Arme im Rücken und sehe hinaus. Er ist gleich ziemlich irritiert, dass ich seinen Part übernehme.

»Ja?«, fragt er leicht verunsichert.

»Bürgermeister«, wiederhole ich, um die Lage mit Dramatik aufzuwerten. »Ich muss mich augenblicklich um einen wirklich dringlichen Fall kümmern. Ein Fall von nationaler Brisanz, quasi. Oberste Geheimhaltung, verstehen Sie?«

»Jetzt machen Sie aber mal einen Punkt, Eberhofer. Hier bei uns in Niederkaltenkirchen … Was soll da schon von nationaler Brisanz sein, bitte schön?«

Ich dreh mich langsam zu ihm um. James Bond ein Dreck dagegen. Um nicht zu überheblich zu wirken, lenk ich kurz ein.

»Was hätten S' denn Schönes gehabt für mich?«

Er schnauft tief durch, und ein Funke Hoffnung schimmert in seinen trüben Augen.

»Die jährliche Wallfahrt nach Altötting wär halt fällig, gell. Und Sie wissen's ja selber, ohne polizeiliche Begleitung geht da gar nix«, sagt er.

»Die Wallfahrt nach Altötting, also. Ja, ein Jammer, lieber Herr Bürgermeister. Aber Sie verstehen das schon, gell, die nationale Brisanz …«

»Ich werd mich informieren, Eberhofer!«, schreit er noch beim Rausgehen. »Und wehe Ihnen, es existiert gar keine nationale Brisanz!«

Zack – Tür zu.

Im Nullkommanix ruf ich den Moratschek an und informier ihn über unsere nationale Brisanz.

Und im Nullkommanix ruft der Moratschek den Bürgermeister an und scheißt ihn so dermaßen zusammen, dass der umgehend zu mir reinkommt und sich entschuldigt.

Ja, wo kämen wir denn da hin! Wallfahrt nach Altötting! Und das genau zu einem Zeitpunkt, wo einer unserer verdientesten Mitbürger in akuter Lebensgefahr schwebt.

Die nächsten Tage entfern ich mich keine Handbreit vom ehrenwerten Richter Moratschek. Sogar, wie er aufs Klo geht und seinen Haufen setzt, besteht er auf meine Anwesenheit direkt vor der Tür. Ich persönlich geh derweil überhaupt nicht aufs Klo. Weil ich mich ums Verrecken nicht entspannen kann, wenn jemand mit seinen Lauschlappen an der Klotür klebt.

Passieren tut aber nix. Rein gar nix.

Dann aber kommt die Oma ins Spiel. Weil sie von einer ihrer blöden Landfrauen erfahren hat, dass die Wallfahrt nach Altötting heuer ausfällt. Weil es eben keinen Polizeischutz gibt. Und wie wir bereits wissen: kein Polizeischutz –

keine Wallfahrt. Und da versteht die Oma jetzt keinen Spaß. Sie zetert mir derartig her, dass ich zum Moratschek sag, es ist mir vollkommen wurst, wer ihn bewacht, ich jedenfalls nicht. Weil ich jetzt nach Altötting muss. Für drei lange Tage. Und aus. Sollte ich das überleben, werd ich ihn hinterher selbstverständlich wieder behüten wie meinen Augapfel. Vorausgesetzt, der überlebt die drei Tage auch. Der Moratschek kriegt die Zuckungen, das kann man gar nicht erzählen, aber es hilft ihm alles nix. Der Papa sagt, er passt schon auf ihn auf, und immerhin hätten sie auch noch den Ludwig. Darauf legt der Moratschek dem Ludwig die Leine um und bindet sie um seinen Bauch.

Jesus Christus!

Der Bürgermeister freut sich, wie er mich sieht und von meiner Sinneswandlung hört.

»Sie schickt der Himmel, Eberhofer«, sagt er dankbar.

»Nein«, sag ich. »Mich schickt die Oma.«

Ich krieg die Daten für Abfahrt, Route, Pipapo, und anschließend fahr ich in die PI Landshut, um mir ein Dienstmotorrad zu organisieren. Am nächsten Tag geht's los. In aller Herrgottsfrüh steht der Bürgermeister pünktlich am Rathaus, damit er all seine gottesfürchtigen Bürger verabschieden kann, so, wie es sich gehört. Und der Pfarrer in Jeans und Wanderschuhen schaut heut gar nicht aus wie ein Pfarrer und lässt wohl dadurch die Anzahl der weiblichen Pilger immens in die Höhe schnalzen.

Dann wandern wir los. Das heißt natürlich: Die anderen wandern los. Die Oma und ich fahren ganz bequem auf der BMW hinterher. Oder drum herum. Das macht der Oma besonders viel Freude, wenn wir unsere Kreise um die fußaktive Pilgerschaft drehen. Ihre hellblauen Locken wehen im Fahrtwind. Das seh ich im Spiegel. Und das ist ein großartiger Kontrast zu meiner froschgrünen Lederkombi. Die

Oma lacht. Ein Zwergpudel in Ekstase. Born to be wild, quasi.

Jetzt ist das ja mit unseren Landfrauen so eine Sache. Weil die natürlich geschwätzig sind ohnegleichen. Und da reicht auch nicht ein einzelner Gesprächspartner. Nein, da muss eine ganze Horde verfügbar sein. Was normal auch kein Problem ist. Sollen sie doch ratschen, die alten Schachteln. Sei's ihnen vergönnt. Zum Problem wird es erst, wie wir auf die Bundesstraße kommen. Weil es da halt schon ziemlich Scheiße ist, wenn ein Vierzigtonner daherbraust und die Damen rennen in Sechserreihen nebeneinander her. Da kann es schon gut passieren, dass da ein LKW die eine oder andere Schulter streift. Die Fahrer drücken dann auf die Hupe, dass alles nur so staubt, und die Weiber ratschen weiter, als wären sie gar nicht gemeint. Lebensgefährlich, wirklich.

Nach der vierten oder fünften Beinahe-Überrollung muss ich natürlich zur Tat schreiten. Dafür bin ich ja da. Besonders, wo mir auch noch die Oma an den Rücken klopft und schreit: »Sind die deppert da vorne?«

Ich nicke und greif zu meiner Flüstertüte. »Lass mich das machen!«, schreit sie nach vorne.

Das kann sie gern tun, weil ich mich sowieso lieber auf den Verkehr konzentrier. Also reich ich ihr das Megaphon hinter, und sie klappt ihr Visier nach oben.

»Achtung! Achtung!«, schreit sie in das Teil, und im Handumdrehen liegen alle am Boden. Wir beide auch fast, ich kann grade noch den Sturz verhindern. Weil sie nämlich mit ihrem Organ in das Megaphon brüllt, so, wie es halt auch ihre Art ist. Durch die Verstärkung jedoch bringt sie problemlos ein jedes Trommelfell zum Platzen. Merken tut sie es nicht. Nein, sie ist ganz und gar auf ihren Text konzentriert.

»Bitte nur in Zweierreihen gehen. Sonst fahren euch die LKWs den Arsch ab!«

Jetzt halt ich an und reiß ihr das Teil aus der Hand. Nebenan auf der Weide sind die Kühe schon in den Galopp verfallen. Von unseren armen Pilgern mag ich gar nicht erst reden.

»Hab ich irgendwas falsch gemacht?«, fragt mich die Oma jetzt.

Ich deute auf die Vordermänner.

»Jesus Christus«, sagt die Oma. »Wir sind doch da nicht in Mekka. Warum schmeißen die sich denn alle auf die Erde?«

Später, bei der Messe, schlafen die Oma und ich ein bisschen ein. Es ist ja auch sehr ermüdend, so eine Motorradtour, muss man schon sagen. Die Unterkunft in einem Landgasthof ist gemütlich und das Essen großartig, wenn auch fastenzeitgemäß übersichtlich. Während sich die anderen ihren lädierten Haxen widmen, gehen die Oma und ich ein bisschen spazieren. Schließlich ist es ungesund, den ganzen lieben langen Tag nur zu sitzen. Wir teilen uns auch ein Zimmer, und ich danke Gott, dass das eine Ausnahme ist. Sie schnarcht nämlich, dass sich die Balken biegen, und immer wenn ich sie in die Seite ramme, haut sie mir das Knie ins Gemächt. Ja, so eine Wallfahrt hat schon was Barbarisches, frag nicht.

Zu meinem großen Bedauern können wir dann den Heimgang unserer gemeindeeigenen Schäfchen polizeitechnisch nicht weiter überwachen, weil wir einen Anruf kriegen. Einen Anruf vom Papa. Dass es ihm schlecht geht. Und dem Moratschek auch. Akute Lebensgefahr sozusagen. Ja, und wenn die familieninternen Weggefährten in Gefahr schweben, ist auf die popeligen Mitbürger geschissen.

So viel ist klar. Also rasen wir mit zweihundertzwanzig gen Heimat, um dort nach dem Rechten zu schauen.

Viel zu schauen gibt's dort allerdings nicht, weil nämlich niemand am Hof ist. Niemand außer dem Ludwig natürlich. Der freut sich, wie er mich sieht, und wedelt mit dem ganzen Hinterteil. Das Wohnzimmer schaut aus wie nach jedem Oldiefestival, auf dem Küchentisch aber liegt ein Zettel: Sind im Krankenhaus.

Herrje! Was ist denn jetzt schon wieder?

Ein Anruf im Landshuter Krankenhaus bestätigt die wortkarge Nachricht. Der Eberhofer Senior und der Richter Moratschek sind dort stationär vorhanden. Und sie sind außer Lebensgefahr. Mehr aber darf mir die Schnepfe am Telefon nicht sagen. Und dass ich ein Polizeibeamter bin, das kann ja ein jeder behaupten. Und ob ich eigentlich denke, sie ist blöd. Und dass sie doch nicht ihren Job riskiert, bloß weil sie mir eine Auskunft erteilt. Dann legt sie auf, die dämliche Kuh.

Außer Lebensgefahr also. Heißt das womöglich, dass sie zuvor drin waren? In der Lebensgefahr, mein ich. Es hilft alles nix, ich muss da hin. Muss mir vor Ort ein Bild davon machen. Ein Bild von den zwei alten Datterern außer Lebensgefahr. Also fahr ich halt. Die Oma will nicht mit, sagt sie. Weil sie erst einmal den Verhau hier aufräumen und hernach noch einen Kuchen backen will. Für morgen, wenn die Wallfahrer heimkommen. Quasi zur Begrüßung. Außerdem tut ihr der Hintern weh. Darum fahr ich eben allein los.

Kapitel 10

Die zwei Senioren teilen sich ein Krankenzimmer und flacken wie verreckt in ihren Kissen. Zuerst geh ich zum Bett vom Papa. Der schaut vielleicht schlecht aus, mein lieber Schwan. Ich nehm seine Hand. Er schaut mich kurz an und drückt zu. Ganz leicht nur, aber er drückt. Dann senkt er seine Lider und schläft ein. Und ich geh rüber zum Moratschek. Der reißt sofort seine Augen auf und starrt mich an. Direkt panisch, könnte man sagen. Gleich wie er mich erkennt, schnauft er aber tief durch und macht sie sichtlich erleichtert wieder zu. Dann hock ich eine Weile ziemlich konfus zwischen den zwei Schnarchern. Nach einer schieren Ewigkeit bequemt sich endlich ein Arzt zu mir rein und erteilt mir eine Audienz.

»Erbrechen, Durchfall, Kreislauf«, sagt er. »Vielleicht eine Lebensmittelvergiftung. Vielleicht auch ein Virus. Sie kriegen Kohle und Kalium, das hilft. In ein, zwei Tagen sind sie wieder die alten.«

Dann geht er.

Kohle und Kalium, ja, das wird ihnen schmecken, den beiden Junkies. Weil es hier heut eh nix mehr zu tun gibt, mach ich mich vom Acker. Ich tausch in der PI noch schnell die Maschine gegen den Streifenwagen und fahr heim.

Da heute tatsächlich mal ein überwachungsfreier Tag ist, geh ich abends zum Wolfi und fröne dem Bier. Der Flötzinger hockt bereits drin und frönt ebenfalls dem Bier.

Das heißt: Eigentlich dürfte er schon zuvor tüchtig gefrönt haben, weil er bereits ziemlich voll ist, wie ich komm.

»Hast einen rechten Durst heut, gell, Flötzinger«, sag ich, wie ich mich neben ihn setz.

Der Flötzinger sagt nichts. Zuckt nur mit den Schultern.

»Die Beischl-Brüder werden morgen entlassen«, sagt der Wolfi und zapft mir eine Halbe.

»Und da hat er jetzt Herzschmerzen?«, frag ich so und muss grinsen.

»Depp!«, sagt der Flötzinger in meine Richtung.

»Nein, eher die Hosen voll. Gestrichen voll, würd ich sagen. Gell, Flötzinger?«, sagt der Wolfi.

»Depp!«, sagt der Flötzinger in die Richtung vom Wolfi.

»Du kennst doch die Beischl-Brüder beruflich, Franz. Wie muss man die denn so einschätzen?«, will der Wolfi dann wissen.

»Oh, leck …!« Mehr fällt mir dazu so spontan nicht ein.

»Ja, wie sollen die denn überhaupt was davon erfahren, ha?«, fragt der Flötzinger dann. Seine Stimmlage schwingt zwischen weinerlich und aggressiv.

»Ja, weil Niederkaltenkirchen halt ein verdammtes Dorf ist, gell. Und weil zum Beispiel der Jüngere von den Beischls mit dem Apotheker in der gleichen Klasse war. Und weil die Mutter vom Apotheker zufällig die beste Freundin von der Mooshammerin ist. Und die ist deine Nachbarin, wenn du dich recht erinnerst. Oder vielleicht, weil der Zeitungsbub mit deinem Ignatz-Fynn im Karatekurs ist. Und weil dein Auto jetzt nächtelang vor dem Beischl-Haus gestanden hat. Willst du noch mehr hören?«, sagt der Wolfi gläser-polierenderweise.

Aber der Flötzinger mag nicht. Stattdessen schaut er verwirrt in sein Glas, trinkt aus und geht.

Tags darauf bei meiner Visite geht's den Patienten schon wieder deutlich besser. Jeder von ihnen wird grad liebevoll und aufopfernd von einer jeweils sehr attraktiven Schwester mit Schleim gefüttert. Trotz der miesen Verpflegung machen beide ein zufriedenes Gesicht.

»Na, was habt ihr denn getrieben, dass es euch gleich so weggeblasen hat?«, will ich wissen, nachdem die zwei Grazien ausgeschleimt haben.

»Nix«, sagt der Papa. »Es war alles wie immer. Wir haben gegessen, ein bisschen Wein getrunken und Musik gehört.«

»Und halt ein bisschen gekifft«, sag ich der Vollständigkeit halber.

»Psst, wir sind doch hier nicht daheim!«, hechelt er aus seinen Federn.

»Was bin ich froh, dass Sie wieder da sind, Eberhofer«, wimmert jetzt der Moratschek. Er hat auch schon wieder mehr Farbe um den juristischen Zinken als wie noch gestern. »Bleiben Sie heut Nacht bei uns hier?«

»Ja, klar«, sag ich. »Ich frag gleich mal eure beiden Schwestern, ob sie mir ein Bett dazwischenschieben können.«

Der Richter scheint erleichtert. Leider muss ich seine Illusionen gleich wieder zerstören, indem ich den Spaß als solchen entlarve.

»Kopf hoch, Richter!«, sag ich. »Morgen, spätestens übermorgen sind Sie wieder draußen. Und Sie sind ja auch nicht allein da, gell. Der Papa passt schon auf Sie auf, gell.«

»Warum werd ich nicht informiert, wenn der Papa in Lebensgefahr schwebt?«, tönt es plötzlich von der Tür her. Auch ohne Umdrehen kann ich den Leopold klar identifizieren.

»Papa!«, eilt er durchs Zimmer und erstickt den schwachen alten Mann unter Tonnen von Blumen.

»Leopold!«, flüstert der Papa.

Ich muss gleich kotzen.

»Hol mal eine Vase«, schnaubt die alte Schleimsau zu mir rüber und beugt sich dann tief zum Papa runter.

»Hol deine Scheißvase gefälligst selber. Und pass bloß auf, dass nicht irgendein giftiges Gras da drunter ist. Das könnte ihn nämlich töten«, sag ich und dreh mich zum Gehen ab. Der Leopold öffnet das Fenster, und bis ich schau, verlässt der Strauß für immer das Zimmer.

Die Oma freut sich, wie ich ihr später Blumen bring. Gut, ein paar sind vielleicht abgebrochen. Aber ein Großteil ist noch tipptopp. Und sie schauen gut aus auf unserem Küchentisch. Gar keine Frage.

Die Mooshammer Liesl ist es, die am nächsten Tag die frohe Botschaft verkündet. Ja, gut, froh ist jetzt vielleicht verkehrt, aber eine Botschaft ist es allemal. Sie sagt, das halbe Dorf liegt flach. Genauer eigentlich, die Pilger. Noch genauer, nur die, wo den Kuchen von der Oma gegessen haben. Die liegen jetzt alle flach und haben es hinten und vorne, sagt sie. Durchfall und Erbrechen praktisch bis zum Gehtnichtmehr. Wunderbar.

Die Oma muss sich erst einmal setzen. Die Liesl auch.

»Was genau war das für ein Kuchen?«, muss ich jetzt wissen.

»Ein Rotweinkuchen«, sagt die Liesl. »Den macht sie doch immer so gut, gell, Lenerl?«

Die Oma nickt. Ich weiß nicht, wie, aber alles, was die Liesl sagt, kann die Oma großartig verstehen. Und zwar ohne dass die Liesl erst Hände und Füße verrenken muss.

Ein Rotweinkuchen also.

Ich überlege. Bring quasi meine Gehirnzellen in Wallung, dass der Birkenberger stolz auf mich wär.

»Wo hast du den Rotwein her?«, frag ich die Oma.

»Da war noch überall ein bisschen was in den Flaschen von deinem Vater. Die hab ich alle zusammengeschüttet. Das hat gelangt«, sagt sie und deutet rüber zum Altglas. Da hätt ich auch selber draufkommen können. Bevor die Oma was wegkippt, vergiftet sie lieber die ganze Nation. Ich schau mir mal die Flaschen an, kann aber nix Ungewöhnliches finden. Auch die Geruchsprobe bleibt völlig ergebnislos.

»Die Flaschen nehm ich mit«, sag ich. »Die sind quasi beschlagnahmt.«

Dann brechen sie auf, die zwei alten Mädchen. Schließlich muss ja gut Wetter gemacht werden bei den Opfern von der Oma. Und zwar hurtig. Und da bietet sich so ein Krankenbettbesuch doch direkt an. Die Oma nimmt den Riesenstrauß vom Leopold und zerpflückt ihn in viele kleine. Man kann ja schließlich nicht mit leeren Händen erscheinen.

Ich ruf erst mal den Birkenberger Rudi an und informier ihn über den Verlauf der letzten Tage. Der Rudi ist gleich einig mit meinem ersten Verdacht und tippt auf den Rotwein als mutmaßliche Giftquelle. Immerhin haben die Kuchenesser die gleichen Symptome wie der Papa und der Moratschek, wenn auch in abgeschwächter Form. Wir verabreden uns auf ein Treffen. Zuvor versuch ich noch, einen Termin zu erhaschen bei meinem alten Freund, dem Günter. Der ist ein Leichenfledderer in der Gerichtsmedizin München und kann in Sachen Rotweinflaschen sicherlich sachdienliche Hinweise geben.

Nach so ereignisreichen Tagen wie heute beschwingt mich die Runde mit dem Ludwig gleich doppelt und haucht mir neues Leben ein. Dabei muss ich irgendwie an die

Susi denken. Nicht, dass sie mir jetzt so brutal fehlen tät, das nicht. Aber wir kennen uns halt schon so unglaublich lange, und da würd ich freilich gern wissen, wie's ihr halt so geht, gell. Und bei dem Gedanken an die Susi fällt mir postwendend der Flötzinger ein. Weil die zwei schließlich eine Gemeinsamkeit haben. Eine grauenvolle sogar. Beide haben ihren treuen Partner schändlich und sträflich betrogen. Diese Gratler. Und weil die Susi jetzt Lichtjahre entfernt ist und der Flötzinger grad mal ums Hauseck wohnt, geh ich da einmal hin. Einfach um nachzuschauen, wie so ein mieser Betrüger seinen Alltag bewältigt.

Die Mary macht mir die Tür auf.

»Hallo, Franz«, sagt sie, dann fliegt ihr ein Ball an den Schädel. »Jetzt ist aber Schluss, Ignatz-Fynn. Der Ball bleibt draußen, verdammt!«, schreit sie über die Schulter hinweg. »Entschuldige«, sagt sie weiter zu mir. Sie muss sich nicht entschuldigen. Schließlich hab ich ja keinen Ball an den Schädel bekommen.

Mir fliegt ein Ball an den Schädel.

Ich schubs die Mary zur Seite und schnapp mir den Bastard. Er schreit wie am Spieß. Ich zerschneide den Ball in zwei Teile. Da lob ich mir mein Schweizer Taschenmesser, das ich seit meiner Firmung nicht mehr abgelegt habe.

»Er hat meinen Ball aufgeschlitzt!«, schreit der hysterische Balg.

Seine kleine Schwester kommt dazu und möchte von der Mutter auf den Arm genommen werden. Die gehorcht. Der Bub hängt kreischend an dem anderen. Es ist die Ausgeburt der Hölle.

»Wo ist dein Gatte?«, ruf ich ihr zu.

»Beim Teufel«, ruft sie zurück.

Ich verstehe kein Wort und bin kurz davor, meine Waffe

92

zu zücken. Allein schon, um dem Knirps die Lichter auszulöschen. Wahrscheinlich ahnt die Mary meine Gedanken, und so fügt sie hinzu: »Ich hab ihm gesagt, er soll zum Teufel gehen, und er ist gegangen. Das war vor ein paar Tagen. Mehr weiß ich auch nicht.«

Sie wendet sich ab, schließt die Tür und im Nullkommanix kehrt Ruhe ein. Sollte ich jemals dem Wahnsinn verfallen und eigene Kinder haben wollen, ist ein Besuch bei den Flötzingers jedenfalls das Vorprogramm zur Abstinenz.

Den Heizungs-Pfuscher find ich schließlich in seiner Firma. Zwischen Werkzeug, Ersatzteilen und Regalen voller Ordner lungert er herum – unrasiert und fern der Heimat quasi.

»Was ist denn mit dir los?«, frag ich, schieb ein paar Pizzaschachteln zur Seite und setz mich auf seinen Schreibtisch.

»Es ist zum Wahnsinnigwerden, Franz«, sagt er, und sein Atem wirft mich fast um. Vermutlich hat er keine Zahnbürste hier bei der Arbeit.

»Was ist zum Wahnsinnigwerden?«, frag ich und hol mir ein Tempo aus der Hosentasche. Dann tu ich minutenlang so, als würd ich mich schnäuzen, nur um ihn nicht riechen zu müssen. Aber immerhin erfahr ich, dass seine Mary Wind bekommen hat von seinen amourösen Gepflogenheiten. Und weil es natürlich nicht das erste Mal war, hat sie ihn halt jetzt vor die Tür gesetzt. Außerdem sind die Beischls wieder auf freiem Fuß, sagt er. Und drum bricht ihm jetzt ständig der kalte Schweiß aus, unserem alten Schürzenjäger. Mein Mitleid hält sich aber in Grenzen, muss ich schon sagen. Und wenn ich an die Susi denke, kann er direkt von Glück reden, dass ich den Beischl-Brüdern nicht noch einen wertvollen Hinweis geb.

Am nächsten Tag werden unsere zwei Invaliden aus dem Krankenhaus entlassen, und es ist meine ruhmreiche Aufgabe, sie von dort abzuholen. Die Oma kocht zur Feier des Tages ein Rahmgulasch mit Spätzle, Preiselbeerkompott und Buttergemüse. Alles mit Ausnahme des Rindviehs aus eigener Herstellung freilich. Der Leopold hat samt Mischpoke seinen Besuch angedroht, und alle sind ganz aufgeregt. So, als wär jetzt wunder was passiert. Dabei waren die zwei Alten doch grad mal ein paar Tage lang weg. Unglaublich.

Wie ich zum Krankenhauseingang vorfahr, kann ich sie schon sehen. Sie sitzen tatsächlich in Rollstühlen und lassen sich grinsenderweise von ihren leibeigenen Schwestern bis ans Auto karren. Es gibt ein Mords-Händeschütteln, und schließlich steigen sie ein. Der Moratschek hockt hinten auf der Rückbank, genauer gesagt liegt er. Er macht sich flach wie ein Palatschinken, um nur ja keine Zielscheibe abzugeben. Und der Papa sitzt auf dem Beifahrersitz und winkt seinen Zofen gönnerhaft zum Abschied nach. Ich kann es kaum fassen. Aber wie dem auch sei, wir fahren gen Heimat und freuen uns auf das göttliche Mahl.

Unsere Mitesser sind schon vor Ort, wie wir kommen, und stehen im Geschwader vor der Haustür. Empfangskomitee vom Feinsten. Staatsbesuch Scheißdreck dagegen. Der Leopold eilt heran und geleitet zuerst den Papa, dann den Moratschek mit bekümmerter Miene den Gaumenfreuden entgegen. Beim Essen ist es relativ still. Weil jeder gänzlich damit beschäftigt ist, sich den Ranzen vollzuhauen. Danach gibt's noch ein Schnapserl für den Magen, und die Panida hilft der Oma beim Abwasch. Der Moratschek versucht derweil, sein Weib auf der Kur anzurufen. Und der Papa sitzt mit der Schleimsau auf der Couch und berichtet von den fürchterlichen und qualvollen Stunden im Krankenhaus.

Der Leopold massiert ihm die Hand.

Die Sushi rülpst.

Und mir ist auch schon ganz schlecht.

Grad will ich mich mit dem Ludwig auf den Weg machen, da schreit mir die Panida noch hinterher:

»Du, Franz, warte bitte einen Moment. Wenn du mit dem Ludwig gehst, kannst du vielleicht die Sushi mitnehmen? Sie muss ganz dringend mal an die frische Luft.«

Ihr Deutsch ist mittlerweile einwandfrei, wenn auch das »R« noch nicht richtig rollen mag.

»Kein Problem«, sag ich. Und bis ich schau, hat sie mir den Zwerg Nase in einem praktischen Gepäckträger auf den Rücken gebunden. So wandern wir los.

Nach zwanzig Minuten kann die Sushi schon hervorragend »Hund« sagen, wobei es bei ihr vielleicht eher wie »und« klingt. Nach weiteren zwanzig Minuten kann sie »Franz« sagen, was zwar mehr ein »Wans« ist, aber wurst. Wenn man bedenkt, dass sie Papa noch überhaupt nicht sagen kann, ist das schon klasse. Der Ludwig ist ganz aus dem Häuschen wegen Begleitung und versucht ständig, an mir hochzuspringen. Das gefällt der Sushi natürlich. Die Runde ist kurzweilig wie nie, und wir brauchen einszwanzig dafür.

Daheim freuen sich dann alle über die verbalen Fortschritte unseres jüngsten Familienmitglieds. Alle außer dem Leopold logischerweise. Er behauptet, das Wort »und« hätte sie vorher schon öfters gesagt, und einen »Franz« kann er überhaupt nicht erkennen. Beim besten Willen nicht. Die Panida zeigt ihm hinter seinem Rücken den Vogel. Ich mag die Panida. Die ist nett. Der Papa freut sich wie ein Schnitzel, besonders über den »Wans«. Er kann gar nicht genug bekommen und deutet immer wieder auf meine Person. Dann sagt die Sushi »Wans«. Und der Papa lacht. Die alte Schleimsau macht ein finsteres Gesicht und will auch ziemlich schnell nach Hause. Wirklich schade. Grad jetzt, wo es so gemütlich ist.

Kapitel 11

Dann kommt der Moratschek rein und wirkt ein bisschen bedrückt. Er sagt, er probiert jetzt schon über eine Stunde, die werte Gattin telefonisch zu erreichen. Vergeblich. Zuerst war immer belegt, sagt er. Irgendwann war zwar frei, aber sie ging nicht mehr dran. Zu guter Letzt hat er in der Vermittlung angerufen, und da hieß es, die Frau Moratschek sei spazieren. Was durchaus noch kein Problem wär. Ist sie halt spazieren, die arme, kranke Frau. Immerhin ist sie ja zur Kur dort. Nein, das tatsächliche Problem ist die Tussi am Telefon. Weil die nämlich behauptet, die Frau Moratschek sei mit ihrem Cousin unterwegs. Mit ihrem Cousin!

Nein, was ich eigentlich sagen wollte, die Frau Moratschek hat überhaupt keinen Cousin. Zumindest sagt das ihr Gatte. Und der sollte es ja wissen. Immerhin ist er seit hundert Jahren mit ihr verheiratet.

»Ich würd da lieber mal nachschauen, Richter«, sag ich so und muss an den Flötzinger denken. »Irgendwas stimmt da nicht. Womöglich hat sie einen Kurschatten.«

»Jetzt machen Sie sich doch nicht lächerlich«, sagt der Moratschek.

Ich zuck nur mit den Schultern.

»Und wie, bitte, soll ich da nachschauen, Sie Klugscheißer?«

»Ja, hinfahren halt. Hinfahren und hinter einer Hecke lauern. Und dann – zack – zuschlagen im richtigen Moment«, sag ich und mach eine entsprechende Handbewegung.

»Oder abknallen«, sagt der Papa.

»Nie im Leben fahr ich da hin, Eberhofer«, sagt der Richter zu mir her. »Bevor der Küstner nicht verräumt ist, fahr ich überhaupt nirgends mehr hin. Verstanden?«

Ja, da kann ich ihm aber leider auch nicht helfen, weil ich nämlich jetzt ins Bett muss. Weil ich morgen einen wahnsinnig anstrengenden Tag vor mir hab. Ein Treffen mit dem Birkenberger und ein Treffen mit dem Leichenfledderer stehen auf dem Plan. Und da muss man halt fit sein, versteht sich.

Wie ich am nächsten Tag in die Küche komm, sitzen die Oma und der Moratschek schon beim Frühstück. Naturgemäß schweigsam.

»Zehn Minuten nach Mitternacht, stellen Sie sich das einmal vor!«, sagt der Richter und beißt in eine Honigsemmel.

Ich weiß nicht, wovon er spricht.

Die Oma schenkt mir einen Kaffee ein, und ich setz mich nieder.

»So was hat sie vorher noch niemals gemacht«, sagt er weiter und schlürft an seiner Tasse.

Ich vermute mal, dass er von seinem Weib spricht.

»Gehe ich recht in der Annahme, dass Sie von der werten Gattin reden und Sie diese erst um zehn nach zwölf telefonisch erreichen konnten?«, frag ich und bin ziemlich überrascht über meine eigene Wortwahl.

Dem Moratschek geht's wohl genauso, jedenfalls sagt er nichts. Er nickt nur mit dem Kopf.

»Und was genau sagt sie so? Wo hat sie sich herumgetrieben?«

»Also, ich muss doch schon sehr bitten, Eberhofer! Meine Frau treibt sich nicht herum.«

»Dann ist es ja gut«, sag ich und muss auch schon weg.

Ich schnapp mir noch eine Butterbreze als Reiseproviant und natürlich auch die blöden Rotweinflaschen und ziehe von dannen.

Eine richtige Freude ist es, den Günter wiederzusehen. Oder sagen wir, wäre es, wenn nicht der Rudi hier auch schon seine Anwesenheit präsentieren würde.

»Servus miteinander«, sag ich so beim Reingehen.

»Ah, der Franz Eberhofer aus Niederkaltenkirchen bei Landshut«, sagt der Leichenfledderer, weil er mich immer so begrüßt.

»Servus, Franz. Hast du die Flaschen dabei?«, sagt der Rudi.

Glaubt der eigentlich, dass ich deppert bin? Dass ich mir den ganzen langen Weg hierher mach und die Beweismittel daheim vergess? Unglaublich.

Ich überreich dem Günter das Leergut ohne ein Wort, und der packt es unter einen Obduktionstisch. Dabei fällt ein Arm herunter.

»Geh, Freddi«, sagt der Günter und packt den Arm wieder dahin zurück, wo er grad hergekommen war. »Die sind doch schon längst alle leer.«

Damit meint er wohl die Flaschen.

»Der hat wohl immer noch einen Durst, der Freddi. Alkoholiker. Exitus. Der hat praktisch seinen eigenen Tod im Suff verschlafen.«

»Aha«, sag ich.

»Wann können wir mit dem Ergebnis rechnen?«, will jetzt der Birkenberger wissen.

Wann wir mit dem Ergebnis rechnen können! Als würde ihn das was angehen. Immer versucht er, mir meine Fälle abspenstig zu machen. Und immer lass ich mich drauf ein. Nicht, dass wir so als Dream-Team keinen Erfolg hätten.

Das nicht. Ganz im Gegenteil, wir haben schon gemeinsam die spektakulärsten Fälle gelöst. Es ist nur so, dass wir sie nicht gemeinsam lösen. Sondern der Rudi fällt urplötzlich einfach in meine Ermittlungen ein und schwingt dann das Zepter. Vordrängler Scheißdreck dagegen.

»Lass mich mal nachschauen«, sagt der Günter dann und überfliegt eine Liste. »Nein, nicht viel los heut. Sind alle quietschfidel, unsere Münchner. Sagen wir morgen, so gegen Mittag vielleicht. Ruft's halt einfach mal an, gell.«

So machen wir es.

Auf dem Weg in unser Ex-Stammlokal sag ich kein Wort. Weil ich erstens ein bisschen angefressen bin wegen dem Rudi seiner vordrängelnden Art, und zweitens fürchte ich, dass er wieder von der Susi anfängt.

»Gibt's was Neues von der Susi«, sagt er.

Ich könnte ihn auf der Stelle töten.

»Nix«, sag ich. »Was machen deine miesen Schnüffeleien?«

Er lacht.

Dann sind wir aber eh schon da und setzen uns dorthin, wo wir immer sitzen. Eine Bedienung kommt, die wir bisher noch nicht kennen. Sie hat Haare unter den Armen bis runter zum Ellbogen und trägt einen Oberlippenbart allererster Klasse. Und sie trägt einen Ehering. Wahrscheinlich hat sie den von ihrem Werwolf.

Sie legt uns die Speisekarten hin und entschwindet in die Küche.

»Bestell dir, was du willst, lieber Franz. Heut lad ich dich zum Essen ein. Weil ich mit meinen blöden Schnüffeleien nämlich so dermaßen viel Kohle mache, dass es mir eine Ehre ist, dich einzuladen, gell. Also keine Hemmungen! Lang zu!«

Ich leg die Karte beiseite und schau ihn nur an. Er dagegen studiert eifrig die Gerichte. Oder tut er nur so? Weil das ja seine bevorzugte Masche ist. In Speisekarten zu versinken und zeitgleich seine armen Mitmenschen auszuspionieren. Der miese Schnüffler.

Der Schnauzbart kommt und zückt den Zettel.

»Wissen Sie's schon?«

»Ja«, sagt der Rudi. »Ich nehm das Bauernpfannerl und ein Weißbier, gell. Und du, lieber Franz?«

»Der liebe Franz nimmt alles, was auf der rechten Seite steht. In alphabetischer Reihenfolge, wenn's keine Umstände macht. Und bringen S' dem lieben Franz noch ein schönes Flascherl Wein, und es darf ruhig auch was kosten, gell.«

»Sehr gerne, die Herren«, schnauzt die Kellnerin und entfernt sich mit einem freundlichen Lächeln unter den haarigen Lippen.

Ich verschränke die Arme und genieße.

»Du bist ein gottverdammtes Miststück«, sagt der Rudi und verschränkt ebenfalls die Arme. So schauen wir aus wie ein zerstrittenes Schwulenpaar. Also lös ich den Armknoten wieder und beug mich nach vorn.

»Was gibt's Neues von der Susi?«, frag ich, weil ich meinen Arsch verwette, dass er was weiß. Wozu sonst die Frage von eben nach ihrer Person?

Volltreffer.

Er lehnt sich selbstgefällig zurück und foltert mich mit Schweigen. Grinsen und Schweigen, um genau zu sein. Typisch Birkenberger.

»Also?«, frag ich nach zwei der fünf Hauptgänge. Er hält noch immer beharrlich den Mund, obwohl ich längst merk, wie's ihm die Informationen nach außen drängt.

»Also gut«, sagt er endlich und tupft sich mit der Serviette über die Lippen. »Ich glaub, da ist der Teufel los bei den beiden. Letzte Woche war ich für drei, vier Tage dort in Assenza, weißt du. Ich observier da grad eine Frau vom Vorstandsvorsitzenden von … na ja, einer großen Autofirma, sagen wir mal. Und dieses Weib treibt's doch tatsächlich wie verrückt mit seinem …«

»Rudi!«

»Schon gut. Also, bei der Susi und ihrem italienischen Hengst jedenfalls ist richtig dicke Luft, glaub ich. Die zwei streiten jeden Tag, dass das ganze Dorf in Achtung steht. Am Schluss knallt er die Tür hinter sich zu und geht weg. Sie schreit ihm dann noch was durchs Fenster nach, und es ist nichts Freundliches, kannst du mir glauben.«

Mein viertes Essen ist eine Kalbshaxe, und mir ist schon ganz schlecht. Aber nur, damit der Rudi keinen blöden Kommentar abtreten kann, stopf ich sie rein. Genauso wie hernach das Schwabentöpfchen. Ich kann noch nicht mal aufstoßen, weil nullkommanull Luft mehr in mir drin ist.

»Dessert?«, fragt der Birkenberger dann hämisch.

Ich leg mich auf der Eckbank nieder. Mein Magen rumort. Alles um mich herum dreht sich im Kreis. Dann schlaf ich ein.

Aufwachen tu ich, weil plötzlich der Schnauzbart direkt über mir schwebt und was in mein Ohr hinein keift. Ich erschrecke zu Tode. Es ist spät am Abend, und der Rudi ist schon lang weg. Bezahlt ist bereits alles, sagt die haarige Oberlippe, und so mach ich mich endlich auch auf den Heimweg.

Der Moratschek ist noch wach, wie ich ankomm. Ist noch wach und hält den Telefonhörer im Arm, grad als tät er ein Baby wiegen.

»Sie hat den Kuraufenthalt um eine Woche verlängert«,

sagt er, ohne mich anzuschauen. Ich nehm ihm den Hörer aus der Hand, leg auf und bring das traurige Männlein ins Bett. Danach muss ich mich übergeben. Mehrmals sogar. Der Rudi ist ein Arschloch.

Der Anruf beim Günter tags drauf bringt tatsächlich Licht ins Dunkel.

»Weißer Germer, auch unter den Namen Nieswurz oder Lauskraut bekannt. Symptome: Erbrechen, Durchfall, Muskelkrämpfe, Atemnot und so weiter und so fort. In gewissen Dosen absolut tödlich. Ansonsten gern als homöopathisches Kreislaufmittel verwendet. In der Variante, die mir allerdings vorliegt, eher tödlich. Da hatten die Herrschaften wohl direkt ein Glück, nicht zu viel von dem Wein gesüffelt zu haben.«

»Wo kriegt man das Zeug her?«, frag ich.

Der Günter lacht.

»Im Frühtau zu Berge, würd ich mal sagen. Nein, im Ernst, das kannst du auf jeder Wiese pflücken. Wächst wie Unkraut, bevorzugt in der Alpengegend. Keine große Sache, da ranzukommen, glaub mir.«

Ich glaube ihm und beende das Gespräch.

Danke für die Hilfe, sag ich. Und, dass ich mich sicherlich wieder mal melde.

Davon geht er aus, sagt der Leichenfledderer und lacht.

Wenn man also mal davon ausgeht, dass der Wein vergiftet war, stellt sich natürlich anschließend die unvermeidbare Frage: Wer tut so was? Und wenn es, wie ich stark vermute (erinnern wir uns an die zierlichen Fußspuren, die definitiv nicht von unsresgleichen stammen) der Küstner war, um den Moratschek abzuschmirgeln, dann hat er zumindest billigend in Kauf genommen, dass noch weitere

Personen im besten Falle geschädigt werden. Wie geschehen. Ja, letztlich hätte er tatsächlich den Tod des einen oder anderen Mitmenschen hingenommen. Kollateralschaden sozusagen. Und weil es sich hier nun in erster Linie um meine bucklige Familie handelt, die er mit ausgerottet hätte, muss ich das schon ziemlich persönlich nehmen. Wär ich selber ein leidenschaftlicher Weintrinker, hätte es gut auch mich selber treffen können. Also muss ich es sogar ausgesprochen persönlich nehmen. Und seien wir doch einmal ehrlich: Hätten die zwei alten Junkies nicht so ausgiebig dem Rauschgift gefrönt, wär doch deutlich mehr Wein geflossen, gell. Und dann? Was wär dann passiert? Ja, das sind so meine Gedanken nach dem aufschlussreichen Gespräch mit dem Günter.

Kapitel 12

Endlich ist Ostern, was natürlich auch das ersehnte Ende der bitteren Fastenzeit einläutet. Wobei Ostern selber jetzt nicht so direkt der Brüller ist. Jedenfalls nicht bei uns daheim. Und das liegt in erster Linie an dem Lamperl, das die Oma an jedem dämlichen Ostersonntag kocht. Ein Lamperl ist ein Lamm, und es ist zum Kotzen für meinen Geschmack. Ich würd sogar sagen, es ist die absolute Krönung der Fastenzeit, bevor es dann endlich wieder zu genießbaren Mahlzeiten übergeht. Weil die Oma aber verdammt empfindlich ist, was ihre Kochkunst anbelangt, stopft man halt selbst das Lamperl in sich rein, koste es, was es wolle.

Oder man hat einen Alternativplan. Und glücklicherweise hab ich den heuer. Und zwar in Form vom Richter Moratschek. Weil ich den nämlich überzeugen hab können, einmal nach seinem Weiblein zu schauen. Grad jetzt so zum Osterfest. Nicht, dass die noch weiß-der-Himmel-was treibt. Zuerst hat er ja gezögert, der ehrenwerte Richter. Weil ihm natürlich die Sorge um seine eigene Person der um seine Liebsten in nichts nachsteht. Schließlich aber hat doch glasklar seine Eifersucht gesiegt. Und drum machen wir uns heut eben auf den Weg nach Bad Wörishofen. Schließlich läuft ja der Küstner noch immer frei herum.

»Eine solche Mordsarbeit hab ich mir gemacht, und jetzt ist keiner zum Essen da«, schreit uns die Oma noch hinterher. Aber es hilft ihr alles nichts. Wir sind quasi schon weg. Der Moratschek liegt flach wie eine Flunder im Fond des Wagens, und der Ludwig sitzt neben mir, hechelt und schaut aus dem Fenster.

Natürlich ist die Frau Moratschek über unser Erscheinen nicht informiert. Sonst wär es ja Essig von wegen: in flagranti. In dem Kur-Kaff angekommen, kauft der Moratschek erst einmal einen großen Strauß Rosen. Weil: es schaut dann mehr nach Besuch aus als wie nach Kontrolle, sagt er. Vermutlich hat er recht. Allerdings nimmt er keine roten, sondern gelbe. Das hat so was Unverbindliches, sagt er weiter. Ein schlauer Mann, muss man schon sagen. Dann macht er sich auch gleich auf den Weg zum Kurhotel, wobei er den Strauß wie einen Schutzschild vor sich herträgt. Ich dreh inzwischen mit dem Ludwig eine Runde durch den Park und pass tierisch auf, dass er keinen bleibenden Eindruck auf den gepflegten Anlagen hinterlässt. Alles picobello hier. Ich setz mich auf eine Bank und blinzle in die laue Aprilsonne. Das ist großartig. Es dauert gar nicht lange, und der Richter naht im Schatten gelber Rosen. Er setzt sich zu mir her.

»Eberhofer«, flüstert er.

Glaubt der, wir werden abgehört?

»Ja?«, flüstere ich zurück und suche ebenfalls Deckung hinter dem Rosenbusch.

»Lassen Sie das«, schnauft mein Banknachbar.

Ich muss lachen.

»Sie ist nicht im Hotel. Die Frau am Empfang sagt, dass heute überhaupt keine Anwendungen stattfinden. Und sie weiß auch nicht, wo sie sein könnte.«

»Vermutlich ist sie wieder spazieren.«

»Sehr witzig. Was zum Henker machen wir jetzt?«

»Erst mal gemütlich Essen gehen«, schlag ich vor.

Wir wandern also los und finden ein kleines feines Lokal mit hervorragender Küche. Ein Grillteller mit Pommes und Kräuterbutter. Junger Salat dazu. Wunderbar. Gut, ein bisschen fad gewürzt vielleicht, halt exakt auf empfindliche Seniorenkehlen, aber ansonsten einwandfrei. Da scheiß ich auf das Lamperl von der Oma. Sie möge es mir verzeihen.

Nach dem Essen sucht der Moratschek weiter nach seiner abgängigen Hälfte, und ich umkreise die Kuranlage. Sehr schön hier, wirklich. Da kann man schon gut einmal krank werden, wenn man dabei hier abhängen kann.

Und dann passiert es.

Es passiert, und zwar in einem solchen Affentempo, dass selbst ich völlig überrumpelt bin. Im ersten Moment weiß ich gar nicht, was ich machen soll. Im zweiten Moment weiß ich es immer noch nicht, finde aber zum Glück einen Busch, in den ich kriechen kann. Leider ist es ein Dornenbusch, und der Ludwig will nicht mit hinein. Also bleibt er davor stehen und winselt. Ganz toll, wirklich. Ich taste vorsichtig nach meiner Waffe. Aber jetzt hab ich immer noch nicht erzählt, was eigentlich los ist. Aber Moment einmal, grade kommt ein Dialog:

»Schauen Sie mal, Frau Moratschek«, sagt der Küstner und kommt auf mich zu. »Der Arme ist ja ganz allein unterwegs.«

Er steht jetzt direkt vor dem Ludwig und streckt langsam seine Hand nach ihm aus. Er ist keinen Atemzug mehr von mir entfernt und trägt wieder diese schmalen Slipper. Ich hab die Pistole in der Hand, kann mich aber leider kein bisschen bewegen. Es würde rascheln, und der Küstner ist gewiss auf der Hut.

Der Ludwig wedelt mit dem Schwanz, der Pharisäer.

»Lassen Sie ihn lieber in Ruhe. Vielleicht beißt er oder hat Tollwut«, sagt seine Begleiterin.

»Sie haben recht, meine Liebe«, sagt der Küstner, und er zieht langsam seine Hand zurück. Beide drehen sich ab und slippern weiter den Parkweg entlang. Sie hakt sich bei ihm unter.

Ich atme tief ein und verlasse das stachelige Versteck. Mein Gesicht fühlt sich an, als hätt ich eine Dornenkrone getragen. Jesus Christus!

Von Weitem kann ich plötzlich den Moratschek entdecken, wie er grad aus der gegenüberliegenden Parkecke hinter dem Rosenstrauß herwackelt. Ich lauf ihm entgegen. Der Ludwig folgt mir auf Schritt und Tritt. Meine Gedanken drehen sich im Kreis. Was tun? Am besten erst mal alles sacken lassen.

»Es ist zum Verrücktwerden. Ich kann sie nirgends finden«, sagt der arme Richter, der ja die schlimme Wahrheit noch nicht kennt.

Ich weiß gleich gar nicht, was ich sagen soll. Und wie dann doch, ist es, glaub ich, nicht sehr taktvoll.

»Der Küstner spaziert hier durch den Park, und ihre liebe Frau hat sich bei ihm untergehakt.«

Der Richter starrt mich durch seinen Rosenvorhang hindurch an.

»Blöder Witz«, sagt er, wird aber gleich ganz weiß um den richterlichen Zinken. An meinem Gesichtsausdruck kann er gut klarmachen, dass meine Spaßkoordinaten jetzt geographisch gesehen ungefähr auf Höhe des Nordpols liegen. Er wirkt ein bisschen verdattert für meine Begriffe und lässt die Blumen sinken.

»Wer ist hier entlang spaziert und hat wen untergehakt?«, fragt er mich. Aber ich glaub, er hat schon verstanden. Weil er sich nämlich auf eine Parkbank plumpsen lässt und seinen Sichtschutz wieder aktiviert. Er ist fortan nicht mehr ansprechbar.

»Was machen wir jetzt?«, frag ich ihn trotzdem nach einer ganzen Ewigkeit.

Besonders gesprächig ist er immer noch nicht. Er zuckt mit den Schultern, dass die Knospen nur so wackeln.

»Ich werde ihn abknallen«, schlag ich so vor.

»Sind Sie des Wahnsinns? Sie bringen meine Frau in höchste Gefahr.«

»Dort ist sie doch schon längst. Und … wär das denn, ich mein, wär das denn – so ein arger Verlust, mein ich …«

Die Blicke, die ich abkrieg, könnten gar nicht unfreundlicher sein.

»Die Kollegen informieren?«, frag ich, um einen versöhnlichen Vorschlag zu präsentieren. Aber er schüttelt den Kopf.

»Viel zu gefährlich. Wenn der Küstner einen Streifenwagen registriert, dreht er total durch. Das haben wir doch alles schon mal gehabt, nicht wahr. Nein, ich muss mit meiner Frau Kontakt aufnehmen«, sagt der Richter und nimmt eine große Prise Schnupftabak. »Ich gehe noch mal ins Hotel zurück. Vielleicht hab ich ja dieses Mal Glück. Und wenn nicht, werd ich ihr dort eine Nachricht hinterlassen.«

»Und was schreiben Sie drauf? SOS, dein Verehrer ist ein Mörder, Gruß, dein Gatte?«

Jetzt muss ich grinsen.

Der Moratschek grinst gar nicht. Stattdessen steht er auf und sagt: »Ja, so was in der Art zum Beispiel. Finden Sie das lustig, Eberhofer?«

Ich hör auf zu grinsen und schüttele den Kopf.

»Und was soll ich derweil machen?«, muss ich noch wissen.

»Sie geben mir Rückendeckung.«

Rückendeckung – ja. Klar.

Und so ziehen wir dann wie in einem Wildwestfilm ins Kurhotel ein, und der Moratschek fragt die Dame dort am Empfang ein weiteres Mal nach seiner Liebsten. Sie schüttelt den Kopf. Ich kann es gut sehen. Weil ich an der Wand lehn und ihn nicht aus den Augen lass. Die ganze Empfangshalle nicht. Ich hab jeden Winkel im Visier. Wyatt Earp ein Dreck dagegen. Dann kommt der Moratschek zurück und hält ein Kuvert in der Hand.

»Von Ihrer Frau?«, frag ich ihn.

»Keine Ahnung. Es ist grad hier für mich abgegeben worden«, sagt er, öffnet den Umschlag und liest vor:

»Willkommen, ihr zwei Vollidioten. Der Hund kennt mich schon ziemlich gut. Genauso wie ich ihn. Wir sind inzwischen richtig dicke Freunde. Herzliche Grüße, auch von der verehrten Frau Moratschek. Übrigens eine ganz reizende Frau. Und noch so fit. Wär doch ein Jammer, wenn ihr etwas zustoßen würde.«

Also: Mir persönlich fehlen da die Worte. Der Richter schmeißt seinen Strauß in den Mülleimer, und wir gehen erst mal zum Auto. Ratlos sind wir beide für einen Moment. Ratlos und schweigsam. Ein paar Minuten später bin ich noch viel ratloser, wenn auch nicht mehr so schweigsam. Weil nämlich der ehrenwerte Richter jetzt einen Schwächeanfall kriegt, der sich gewaschen hat. Hängt hier zitternd und mit verdrehten Augen auf dem Beifahrersitz rum und ist zu keiner Handlung mehr fähig. Das hat uns grade noch gefehlt.

Also fahr ich ihn erst mal mit Höchstgeschwindigkeit ins nächste Krankenhaus und erfahr dort eineinhalb Stunden später, dass eine stationäre Behandlung unumgänglich ist. Für mindestens zwei bis drei Tage muss der Patient wohl bleiben, wo er ist, heißt es.

Mittlerweile muss ich zugeben, dass ich deutlich lieber das Lamperl von der Oma gegessen hätte, auch wenn es noch so greislich ist.

Weil ich jetzt auch nicht recht weiß, was ich machen

soll und der Tag ohnehin schon versaut ist, ruf ich mal den Birkenberger an. Vielleicht kann mir der einen von seinen superschlauen Sprüchen aufs Aug drücken.

Ja, sagt er, das ist direkt ein Riesenglück. Ein Riesenglück, dass er ausgerechnet gestern seinen letzten Fall abgeschlossen hat. Und die nächste dringende Observierung hat er erst übermorgen. Das ist wunderbar, sagt er weiter, ich soll mal schön den Moratschek bewachen, und er selber ist in einer guten Stunde hier. Ja, da kann man nichts sagen. Auf den Rudi ist halt Verlass.

Also setz ich mich vor das Krankenzimmer vom Moratschek und harre der Dinge, die da kommen. Zunächst kommt die Stationsschwester. Sie heißt Heidi und sagt, der Ludwig muss raus aus der Klinik. Wegen hygienischen Gründen und Pipapo. Weil ich ihr aber meinen Dienstausweis und mein sympathisches Lächeln zeige, kann er dableiben. Außerdem krieg ich einen erstklassigen Kaffee und der Ludwig eine Schale voll Wasser. Die Heidi ist ein heißer Feger und trägt nichts unter ihrem weißen Kittelchen. Rein gar nichts.

Dann kommt der Rudi und macht ein besserwisserisches Gesicht. Schon rein prophylaktisch.

»Wo ist der Küstner derzeit?«, will er zuerst wissen.

»Bin ich ein Hellseher, oder was? Wenn ich das wüsste, hätt ich ihn längst abgeknallt und müsste mir hier nicht den Arsch wund sitzen«, geb ich zurück.

»Dann werd ich ihn jetzt wohl gleich einmal aufsuchen müssen.« Die Betonung schwerlastig auf dem Ich.

»Bist du vielleicht ein Hellseher?«

»In gewissem Maße schon. Lass mich nur machen«, sagt er, nimmt mir die Kaffeetasse aus der Hand und leert sie auf Ex.

»Und was soll ich derweil tun?«, frag ich, weil's mir

schon langsam fad wird mit der ganzen Bewacherei. Und weil ich heim will. Und weil ich Hunger hab.

»Du bleibst schön da sitzen und bewachst den Morat-schek. Ich komm zurück, sobald ich was hab«, sagt er und entschwebt dann durch die Glastür. Die schwingt hinter ihm her, grade so, als tät sie mir winken.

Dann ruf ich mal den Papa an. Schließlich muss der über die ganzen Vorkommnisse informiert werden. Erwartungs-gemäß regt er sich furchtbar auf darüber.

»Schade, dass ihr nicht kommen könnt«, sagt er, nach-dem er sich wieder beruhigt hat. »Die Oma hat extra für dich was vom Lamperl zur Seite gelegt.«

»Ja, so traurig das ist, aber ich kann hier nicht weg. Beim besten Willen nicht. Auch wenn mich der Hunger fast um-bringt«, sag ich und häng auf.

»Ich bestell mir grad eine Pizza. Möchtest du auch was?«, sagt dann die Heidi und streichelt dem Ludwig über den Kopf.

Der Franz möchte. Und wie der möchte.

Nach der Pizza möchte ich dann noch mit ihr schmusen.

Nach dem Schmusen möchte sie ins Schwesternzimmer. Ich folge ihr wortlos, obwohl mich schon ein bisschen das Gewissen plagt, weil ja der Moratschek jetzt so völlig hilf-los ist. Aber es gibt im Leben eines Mannes Momente, da muss er Entscheidungen treffen. Und das tu ich.

Nach dem Schwesternzimmer möchte ich sie heiraten, die Heidi.

Leider kommt dann der Chefarzt vorbei. Sie nennt ihn Schatz. Und er legt ihr die Hand auf den Hintern.

»Wie war deine Nachtschicht?«, fragt er sie dann.

»Ach, ging so«, haucht sie ihn an.

Ging so!

Also, ich persönlich sehe das ganz anders. Aber klar,

Dinge, die man nicht ändern kann, muss man akzeptieren. Drum sitz ich halt weiter vor dem Moratschek seinem blöden Krankenzimmer rum und warte auf den Rudi.

Die Frühschwester hat überhaupt keine Ähnlichkeit mit der Heidi. Nicht die geringste. Sie trägt eine Brille mit riesigen Gläsern und Unterwäsche in mehreren Lagen unter dem Kittel. Womöglich sogar die von der Heidi auch noch, wer weiß. Wobei ihr die freilich noch nicht mal ansatzweise passen tät. Aber wurst. Was mich viel mehr beschäftigt, ist, dass sie hier Gott und die Welt mit Frühstück versorgt und mich komplett ignoriert. Das Einzige, was sie zu mir sagt, ist: »Der Köter muss raus!«

Da hat sie sich aber geschnitten, die fette Qualle. Weil der Ludwig nämlich ein speziell ausgebildeter Polizeihund ist und vom Veterinäramt praktisch als keimfrei eingestuft wurde. So sag ich ihr das und halte kurz meinen Ausweis unter ihre Taucherbrille. Und da sie eben nicht nur dick ist, sondern auch doof, glaubt sie mir das.

Dann aber kommt eh schon der Rudi und hat Frühstück dabei. Na also.

»Der Küstner ist abgereist«, sagt er, während ich in ein Croissant reinbeiße.

»Woher willst du das wissen?«, frag ich kauenderweise. Ich teile mein Mahl mit dem Ludwig, der mich dankbar anschaut. Nur der Kaffee wird nicht geteilt. Irgendwo hört's eben auf. »Berufsgeheimnis«, sagt der Rudi. »Du kannst jedenfalls deinen Posten hier kündigen. Der Küstner ist weg. Definitiv. Und du solltest mal der Frau Moratschek einen kleinen Besuch abstatten. Damit sie wenigstens informiert ist über ihren Lustgreis.«

Ich nicke, so machen wir es.

Zuerst aber schauen wir noch schnell nach dem Patienten. Viel allerdings bekommt er davon nicht mit.

»Absoluter Schwächeanfall«, sagt der werte Herr Chef-arzt. »Es ist immer wieder traurig, wenn man die eigene Energie überschätzt.«

Ja, der muss es ja wissen.

Wie ich der Frau Moratschek die Situation erkläre, ist sie erstens verblüfft, zweitens besorgt und drittens ziemlich grantig. Verblüfft ist sie natürlich wegen dem Küstner.

»Nein, das hätt ich im Leben nicht geglaubt. So ein netter Mann und so aufmerksam. Dass der ein Verbrecher ist, das kann ich mir beim besten Willen nicht vorstellen«, sagt sie und klemmt sich eine silbergraue Strähne hinters Ohr.

Kann sie sich nicht vorstellen, ist aber so.

Besorgt ist sie wegen den gesundheitlichen Defiziten ihres Gatten. Besuchen will sie ihn trotzdem nicht, weil sie eben drittens ziemlich grantig ist.

»Wenn mein Mann tatsächlich annimmt, dass ich mit dem Herrn Küstner was habe, dann ist das die Höhe. Und das muss ich erst einmal verarbeiten. Er schwebt ja schließ-lich nicht in Lebensgefahr, oder?«

Ich schüttel den Kopf.

»Nein, das nicht. Aber gnä' Frau, wenn Sie mit Ihrem Küstner nichts haben, warum bezeichnen Sie ihn dann als Cousin?«, muss ich jetzt noch wissen. Sie schaut mich an, dass ich am liebsten in Deckung gehen würde.

»Ja, genau wegen so was eben. Wegen dem blöden Ge-rede halt. Wenn ich gesagt hätte, das ist ein fremder Mann, mit dem ich da spazieren geh, hätt es doch gleich was weiß ich alles geheißen.«

»Aber so im Nachhinein heißt es das ja jetzt auch, gell«, sag ich und sammle damit vermutlich wieder keine Plus-punkte. Sie erhebt sich und bringt mich zur Tür.

Nachdem ich also die Frau Moratschek außer Gefahr

weiß, ruf ich mal die Kollegen an und sag, dass der Küstner in Bad Wörishofen herumhängt. Oder gehangen hat. Jedenfalls bis gestern. Einen Freudentaumel löse ich damit jedenfalls auch hier nicht aus. Weil sie halt schon gehofft haben, dass er längst im Ausland sein Unwesen treibt.

Dann leg ich auf und fahr heim.

Kapitel 13

Die Oma hat eine Riesenüberraschung für mich, und weil ich ja nicht blöd bin, weiß ich freilich, dass es das Lamperl ist. Ich setz mich also an den Küchentisch und betrachte das aufgeregte winzige Weiblein, wie es liebevoll mein Mahl zubereitet. Und dann ist es auch schon so weit. Der Teller steht vor mir, und gleich fängt es an, mich zu würgen. Weil ich zuvor aber genug Bedenkzeit hatte, sag ich jetzt: »Du, Oma, ich hol mir bloß schnell noch ein Bier aus dem Keller.«

Handzeichentechnisch sag ich dasselbe.

»Bleib sitzen, Bub, und fang schon mal zum essen an. Sonst wird ja alles eiskalt. Ich hol dir derweil dein Bier, gell.«

Und schon saust sie los. Genau das hab ich eingeplant.

Ehrlichkeitshalber muss ich vielleicht sagen, dass die Kartoffeln mit der Soße schon hammermäßig gut sind. Genauso wie die Speckbohnen. Vom Fleisch allerdings krieg ich nichts runter. Nicht ums Verrecken. Also fällt es mir vom Teller und wie durch Zauberhand direkt vor dem Ludwig seine Schnauze. Und der schaut mich dann an.

»Auf geht's«, sag ich, weil das sein Kommando ist, wenn er was tun darf. Und jetzt darf er. Und im Nullkommanix ist das Fleisch hinuntergeschlungen, und ich kann mich in aller Ruhe den Beilagen widmen.

»Du hast ja vielleicht einen Mordshunger gehabt, Bub«, sagt die Oma, wie sie mir mein Bier hinstellt.

Ich nicke.

»Gut, dass ich noch eine Extraportion für dich aufgehoben hab«, sagt sie weiter und schlurft rüber zum Herd. Dann kommt sie mit der Bratreine zurück. Der Ludwig sendet mitleidige Blicke zu mir rauf.

»Da schau her, Bub«, sagt die Oma und häuft mir ein weiteres Fleisch auf den Teller. Unter Einsatz ihres Lebens hätte sie es vor dem Papa und dem Leopold bewahrt, sagt sie und schlenzt mir die Wange. Was will man dagegen machen? Essen halt.

Nach der Mahlzeit ist es mir erwartungsgemäß schlecht, und so geh ich gleich mal mit dem Ludwig meine Runde. Wir gehen auch beim Flötzinger vorbei. Mal schauen, ob er schon wieder daheim schlafen darf.

Er darf. Zumindest macht er mir die Tür auf. Er trägt einen grün-blauen Jogginganzug und ist barfuß, dafür aber frisch rasiert.

»Na, hat dich die Mary wieder aufgenommen mit all deinen Abarten?«, frag ich und muss grinsen.

Er grinst auch.

»Nein, hat sie nicht. Aber zum Glück ist sie jetzt erst mal mit den Kindern in die Osterferien nach England gefahren. Die Schwiegereltern besuchen, wie immer«, sagt der Heizungs-Pfuscher und lehnt sich an den Türstock. Weil ich, seit ich denken kann, eine Katzenallergie hab und der Flötzinger zwei widerliche Perserkaten besitzt, ist an ein gemütliches Bier im Innenleben des Hauses erst gar nicht zu denken. Deshalb verabreden wir uns für später beim Wolfi.

»Ich hab mit dem Moratschek telefoniert«, sagt der Papa grad wie ich heimkomm. Er sitzt auf der Couch und starrt vor sich hin ins Leere.

»Wenn du mit ihm telefoniert hast, kann er ja nicht gestorben sein. Warum also die Trauermiene?«, sag ich und setze mich zu ihm. Eigentlich mag ich jetzt gar nicht viel reden. Würd mich viel lieber noch ein bisserl aufs Kanapee hauen, bevor's danach zum Wolfi geht. Vermutlich wird es wieder ziemlich spät heut Nacht. Und gestern war ja auch nicht viel Schlaf drin. Aber gut.

»Er hat gefragt, warum du ihn nicht mehr bewachst«, sagt er weiter.

»Ja, bin ich vielleicht dem Moratschek sein Kindermädchen? Außerdem ist der Küstner eh schon über alle Berge.«

Der Papa schaut mich an. Entdecke ich da so was wie ein Tränlein in seinen Augenwinkeln?

»Musst du jetzt flennen, oder was?«, frag ich.

»Arschloch«, sagt der Papa.

Ja, dann eben nicht. Wenn er mir so kommt, mag ich schon gleich gar nicht.

Später beim Wolfi ist dann nicht nur der Flötzinger da und gut gelaunt, sondern auch der Simmerl. So sitzen wir drei also am Tresen und bestellen erst einmal Bier.

Wunderbar.

Der Flötzinger sagt, er freut sich auf den geselligen Abend, den er lange nicht mehr hatte. Und, dass er schon geglaubt hat, niemand kann ihn mehr leiden. Dann erzählt er uns von dem großartigen Erlebnis eines Vollbads nach den furchtbaren Tagen in seiner Firma. Das kann man gut verstehen. Wenn man sich selber nicht mehr riechen kann, wie sollen's dann andere können?

Der Simmerl sagt, seine Gisela trifft sich heut Abend mit ein paar Weibern. Weil sie in den Ferien noch schnell mal ein paar Tage Urlaub machen wollen. Weil halt jetzt die karge Fastenzeit ihr Ende gefunden hat, und die arme Gisela nicht mehr für hundert ausgehungerte Männer kochen muss. Drum braucht sie nach dem ganzen Stress erst einmal dringend eine Erholung und will weg. Voraussichtlich nach Griechenland.

»Einen Ouzo für meine guten Freunde«, bestellt der Metzger dann und lacht.

Einen Ouzo hat der Wolfi aber nicht. Dafür hat er einen Jägermeister. Und weil der seine Pflicht genauso prima erfüllt, trinken wir den.

Ein bisschen später kommt der Papa rein. Er ist immer noch beleidigt wegen vorhin, und deshalb begrüßt er alle außer mich. Der Simmerl und der Papa ziehen sich gleich an einen der Tische zurück, weil sie es immer so machen. Vermutlich reden sie über Sauen. Zumindest ist das der einzige gemeinsame Nenner, der mir bekannt ist. Der Flötzinger bestellt noch einmal Jägermeister, weil's heute grad so schön ist.

Dann geht die Tür auf, und die Beischl-Brüder betreten gemeinsam das Lokal. Hinter ihnen her schwankt schwer die dazugehörige Frau. Sie geht zielstrebig auf den Flötzinger zu und greift ihm an die Eier.

Die Brüder bestellen drei Bier und drei Schnaps und setzen sich an den Nachbartisch vom Papa.

Dem Flötzinger bricht der Schweiß aus. Und bevor er sich entscheiden kann, ob er sich der Situation wegen erregen oder aufregen soll, komm ich ihm zu Hilfe.

»Ich glaub, ihr habt da was vergessen«, ruf ich zu den Brüdern rüber.

Sie schauen mich an.

Ich deute mit dem Kinn auf das abtrünnige Frauenzimmer.

Sie verdrehen die Augen in alle Richtungen, und schließlich steht einer von ihnen auf. Sagt zum Flötzinger: »Sorry«, und schleift das Weib hinter sich her. Dann schubst er sie in einen Stuhl und legt ihre Hand auf seine Eier. Sie braucht wahrscheinlich immer was zum Spielen.

Der Flötzinger bestellt sich einen doppelten Jägermeister und schüttet ihn mit zittriger Hand in den feuerroten Schädel.

Kurz darauf kommt die Simmerl Gisela rein. Sie setzt sich zu ihrem Gatten und bestellt einen Wein. Und sie plappert drauflos, dass die Warze nur so wackelt. Das muss ich vielleicht doch schnell erwähnen. Die Simmerl Gisela hat eine Warze auf der Oberlippe, das ist sensationell. Wirklich unglaublich. Ich muss sie immer anstarren. Aber sonst ist sie nett, die Gisela. Ja.

Nein, wo war ich stehen geblieben? Genau, also die Gisela erzählt und erzählt, und immer wieder fällt jetzt das Wort Susi. Und weil mich naturgemäß die Neugierde treibt, schnapp ich mir mein Bier und geh da mal rüber.

»Kein Platz mehr frei«, sagt der Papa, was eigentlich schon richtig ist. Weil das Ehepaar Simmerl auf Stühlen sitzt, der Papa aber auf einer Bank. Auf einer Bank für mindestens zwei Personen. Wenn man sich aber so dermaßen breit macht wie er, passt eben sonst keiner mehr drauf.

»Rutsch halt ein bisschen«, sag ich und geh auf ihn zu.

»Fällt mir im Traum nicht ein«, sagt der alte Depp und macht sich ganz im Gegenteil noch um einiges breiter.

Der Simmerl grinst. Der kennt uns halt schon ziemlich lange.

Einer der Beischl-Brüder spricht mich jetzt an:

»Da kannst dich auch herhocken«, sagt er, rutscht auf seiner Bank ein bisschen zur Seite und bestellt noch mal Bier und Schnaps für seine Lieben.

Ja, das hab ich grad noch gebraucht. Ob mich mehr die Neugier wegen der Susi oder die Angst vor den Beischls niedersitzen lässt, kann ich nicht sagen. Jedenfalls sitz ich dann halt und hab – zack – die Hand von der Frau Beischl auf meinem Gemächt.

»Also nix Griechenland?«, fragt der Simmerl dann die Gattin. Die schüttelt den Kopf.

»Nein, es ist einfach zu kurzfristig. Und für vier Personen kriegst du halt bei Last-Minute nix mehr. Außerdem wollten wir ja die Susi sowieso im Sommer besuchen. Jetzt machen wir das einfach schon früher. Ja, gut, baden kann man wohl noch nicht, aber ich glaub, wir können uns auch so die Zeit recht gut vertreiben«, sagt die Gisela und lacht.

»Da hab ich nicht den geringsten Zweifel«, sagt der Metzger und bestellt eine Runde Grappa für seine guten Freunde.

Dann steht mein neuer Sitznachbar auf und geht zum Flötzinger rüber. Zumindest schaut es so aus. Wie sich aber ziemlich schnell rausstellt, geht er nur zum Wolfi rüber. Geht zum Wolfi rüber, bestellt noch mal Nachschub und bezahlt die Zeche. Nachdem auch diese Ration auf dem Weg zur Leber ist, verlässt das Dreigestirn das Lokal.

Ich mach mich auch bald vom Acker, weil ich weder auf den Papa seine wehleidige Lätschn, noch auf den Flötzinger seine Panikattacken scharf bin.

In der Küche brennt noch Licht, wie ich heimkomm. Die Oma kommt zur Tür raus und schleudert das Wasser vom Putzeimer aus.

»Der Ludwig hat in die Küche gekotzt«, sagt sie. »Wahrscheinlich hat er was Schlechtes gefressen.«

»Worauf du einen lassen kannst«, sag ich grinsenderweise. Aber sie kann mich natürlich nicht hören.

Dann läutet das Telefon, und der Moratschek ist dran.

»Eberhofer«, hechelt er vollkommen atemlos, und es hört sich so an, als ob er in den letzten Zuckungen liegt.

»Geht's Ihnen nicht gut?«, frag ich so.

»Nein, überhaupt gar nicht. Sozusagen geht's mir sogar beschissen.«

»Ja, was ist denn los? Rufen Sie doch die Nachtschwester in Gottes Namen.«

»Die kann mir auch nicht helfen«, sagt er und stöhnt. »Es war jemand im Zimmer, wie ich geschlafen hab. Ich bin mir vollkommen sicher.«

Aha, daher weht der Wind.

»Wie können Sie bitte schön vollkommen sicher sein, wenn Sie geschlafen haben?«

»So was hat man im Gefühl.«

Im Gefühl also.

»Moratschek, glauben Sie nicht, dass Sie sich jetzt da in was verrennen? Ihr Zimmer liegt genau neben dem Schwesternzimmer. Wenn da jemand vorbeigeht, kriegt es doch die Nachtschwester mit. Und die lässt niemanden so mir nix dir nix in die Krankenzimmer. Erst recht nicht kurz vor Mitternacht.«

»Meinen Sie?«

»Ja, das meine ich. Und jetzt schlafen Sie gut, und wir telefonieren morgen wieder.«

Dann häng ich ein.

Kaum hab ich mich drüben im Saustall auf mein Kanapee geworfen, läutet das Telefon.

»Eberhofer … es war jemand im Zimmer, wenn ich es Ihnen doch sage.«

Jetzt langt's aber.

»Herrschaft, Moratschek!«

»Sie haben gesagt, wir telefonieren morgen wieder. Jetzt ist es doch morgen. Schauen Sie doch auf die Uhr.«

»Moratschek, läuten Sie nach der Schwester, und zwar sofort.«

»Aber …«

»Nix aber!«

Ich hör's zwar nicht läuten, aber eine Weile später ist jedenfalls die Schwester im Zimmer. Ich kann sie gut hören.

»Und jetzt?«, will der Richter dann wissen.

»Geben Sie ihr den Hörer.«

»Stationsschwester Heidi«, meldet sie sich. Ihre Stimme ist zum Niederknien.

»Stationsschwester Heidi, wunderbar«, sag ich.

»Ja?«

»Ich bin der schnuckelige Typ, mit dem du vorgestern Nacht ein bisschen Pizza gegessen hast …«

Sie kichert.

»Ich weiß, wer du bist«, sagt sie ganz zärtlich.

Dann erklär ich ihr schnell, dass sie dem Moratschek was zum Schlafen geben soll. Und zwar dringend. Weil er mir sonst nämlich die Nachtruhe raubt. Und weil sie das freilich auf keinen Fall möchte, verspricht sie's mir. Liebe Heidi.

Wie ich am nächsten Tag in der Früh in die Küche komm, hockt der Pfarrer am Tisch. Es ist gedeckt für vier Personen, also geh ich einmal davon aus, dass er mitfrühstücken wird.

»Was verschafft uns die Ehre?«, frag ich den hochwürdigen Gast.

Die Oma schenkt Kaffee in die Tassen, und der Papa schlurft in Latschen und Unterhosen dem gedeckten Tisch entgegen. Der Pfarrer schaut ein bisschen pikiert, wendet sich dann aber gleich wieder seiner Buttersemmel zu.

Der Papa kratzt sich am Bauch.

»Ja, sag einmal, geht's noch?«, schreit ihn jetzt die Oma an. Den Papa reißt es. Er hört auf zu kratzen.

»Wir haben einen Gast da hocken. Kannst du dir da

gefälligst was drüberziehen«, schreit sie weiter ihren einzigen Sohn an.

Der Papa gehorcht und verschwindet.

Wiederkommen tut er mit einem T-Shirt, was ihm viel zu klein ist und den Kopf vom John Lennon drauf hat. Gotthab-ihn-selig.

»Also, noch mal von vorn. Was genau wollen Sie hier?«, frag ich den Pfarrer erneut.

»Ja, lieber Herr Eberhofer, Ihre Großmutter hat mich nach der Ostermesse angesprochen. Sie hat mich gebeten, ihren Heimgang zu organisieren.«

»Ihren – Heimgang? So ein Schmarrn, sie ist doch daheim.«

»Nein, nein, lieber Herr Eberhofer, hähä, ich spreche eigentlich von ihrer Beerdigung, wenn Sie gestatten. Vielen Menschen ist es ein Bedürfnis, das zu Lebzeiten zu regeln.«

»Ist sie krank, oder was?«, frag ich gleich, weil ich zu Tode erschrecke. »Bist du krank, oder was?«, schrei ich jetzt die Oma an.

Sie schüttelt den Kopf.

»Nein«, sagt sie. »Aber ich geh halt schon langsam auf die Neunzig zu.«

»Eben«, sagt der Pfarrer. »Und weil Ihre liebe Großmutter leider nichts hören kann, hat sie mich gebeten, hierher zu kommen, damit Sie praktisch ihre Wünsche übersetzen und an mich weitergeben können.«

Zuerst schau ich den Papa an. Der aber steht grad vor einer elementaren Entscheidung: Leberwurst oder Streichkäse auf seine Semmel. Dann schau ich die Oma an. Aber die ist auch so dermaßen mit ihrem Frühstück beschäftigt, dass sie mich gar nicht wahrnimmt.

Kann das sein, dass hier alle im Bilde sind, außer mir?

»Und was genau wollen Sie jetzt mit uns besprechen, werter Herr Pfarrer?«

»Na, zum Beispiel, wie es nach dem Ableben Ihrer geschätzten Großmutter weitergehen soll: Einbalsamierung, Sargwahl, Beisetzung, Musikwunsch, Blumen et cetera, et cetera. Nicht zu vergessen der Ort der letzten Ruhestätte natürlich.«

Die Verwandtschaft starrt noch immer gebannt auf ihre Frühstücksteller. Der Pfarrer langt in den Brotkorb hinein. Eine weitere Semmel findet den Weg zu seinem Platz.

»Die Oma braucht keine letzte Ruhestätte, verstanden?«, sag ich, und deutlich lauter, als es höflich wär. »Weil sie nämlich nicht stirbt, ist das klar? Und wenn doch, stopfen wir sie aus und hocken sie drüben auf die Couch. Ist. Das. Klar!? Und jetzt raus hier!«

Dann reiß ich ihm seine Brotbeute aus der Hand und geleite ihn zur Tür.

Das weitere Mahl ist wunderbar. Die Oma grinst und brät mir ein paar Eier. Der Papa schaut mich an und sagt:

»Der Pfarrer ist ein Arschloch.«

Dann hören wir aus dem Radio ›Who wants to live forever‹, und alles ist gut.

Dann läutet das Telefon, und der Moratschek ist dran. Weil ich aber so was schon befürchtet hab, geh ich erst gar nicht dran, sondern warte, bis sich der Papa schwer schnaufend und völlig genervt erhebt und das Gespräch entgegennimmt.

»Moratschek!«, hör ich grad noch, dann muss ich aber auch schon dringend zur Arbeit. Schließlich kann man nicht den ganzen Tag mit Frühstücken verbringen. Auch wenn es noch so lecker ist.

Kapitel 14

Kaum im Büro angekommen, steht der erste Einsatz quasi direkt vor der Tür. Ja, es ist schon ein Scheißstress bei der Polizei. Ein Verkehrsunfall ein paar Straßen weiter dorfauswärts.

Also trink ich noch schnell meinen Kaffee aus und les nur kurz den Sportteil aus der Zeitung. Und dann bin ich auch schon fast unterwegs. Ja, gut, aus reiner Gewohnheit schlägt jetzt mein Darm Alarm. Das ist halt die Uhrzeit und der ganze Kaffee, gell. Ja, was sein muss, muss sein. Aber danach bin ich auch schon weg.

Wie ich hinkomm, streiten die zwei Unfallverursacher, das kann man gar nicht erzählen. Einer davon ist übrigens der Herr Bürgermeister. Der Herr Bürgermeister und sein nagelneuer Mercedes. Ja, gut, nagelneu ist er jetzt vielleicht nicht mehr, höchstens zur Hälfte. Die andere nämlich, um genau zu sein, die vordere, steckt bis zum Lenkrad im Heck eines Bierlasters.

Ein Jammer. Ein noch viel größerer Jammer aber ist es, dass Unmengen von Bierflaschen zerbrochen sind und das Bier jetzt quasi völlig unverdaut in den Gully rinnt.

»Ah, gut, dass Sie da sind, Eberhofer«, ruft mir der Bürgermeister gleich entgegen und wendet sich von seinem Widersacher ab.

»Ja, gut, dass Sie da sind«, schreit der jetzt ebenso. Beide stampfen zornbeladen in meine Richtung.

»Dieser Erzgratler ist mit seinem Scheißkarren direkt in mein Heck gerast«, schreit der Bierkutscher.

»Na, na, na«, sag ich. »Ein Scheißkarren ist es ja wirklich nicht. Zumindest war er es vorher nicht. Jetzt vielleicht schon eher.«

»Eberhofer«, schnauft der Bürgermeister. »Eberhofer, so war das aber nicht. Er ist halt so dahingefahren, und ohne erkennbaren Grund hat er urplötzlich eine Vollbremsung hingelegt.«

»Ja, Sie Rindvieh, Sie beiniges. Vielleicht ist da vorn ja ein Reh über die Fahrbahn gelaufen«, schreit der Biermann wieder.

»Schreiben Sie auf, Eberhofer! Er hat mich Rindvieh genannt.«

»Beiniges Rindvieh, wenn's recht ist«, schreit sein Kontrahent.

»Ordinäre Menschen sind mir zuwider«, sagt der Bürgermeister und schüttelt den Kopf.

»So kommen wir hier nicht weiter«, sag ich grad noch, da mischt sich eine Frau ins Gespräch.

»Entschuldigung, wenn ich mich einfach so einmisch, aber der Mercedes, der ist viel zu dicht aufgefahren. Der ist ja praktisch an dem Laster direkt dran geklebt. Ich hab das genau sehen können, weil ich da oben grad am Fenster putzen war«, sagt sie und deutet auf das Haus vis-à-vis.

»Ja, du Brunzkuh, du blöde«, schreit jetzt der Bürgermeister. Und bevor er noch mehr Schaden anrichten kann, verfrachte ich ihn in den Streifenwagen und fixier ihn dort vorsichtshalber mit den Handschellen am Lenkrad. Dann ist alles nur noch Routine. Abschleppwagen anrufen, Personalien aufnehmen und Pipapo.

Der Bürgermeister macht einen Aufstand, wie wir im Büro sind, Rumpelstilzchen Dreck dagegen.

»Machen Sie jetzt endlich die Handschellen ab, Eberhofer. Sonst kriegen Sie eine Dienstaufsichtsbeschwerde, die sich gewaschen hat«, brüllt er mich an.

Ich setz mich erst einmal auf seinen Schreibtisch und lass ihn toben.

»Sie haben die gute Frau ›Brunzkuh‹ genannt. ›Blöde Brunzkuh‹, um genau zu sein. Und dafür gibt es Zeugen. Sie können von Glück reden, wenn die keine Anzeige macht. Mit fünf- bis sechshundert Euro können Sie da schon gut rechnen. Ganz abgesehen von Ihrem Ruf als Bürgermeister. Der dürfte quasi völlig im Arsch sein«, sag ich so und erheb mich. Weil er jetzt still ist wie ein Toter, mach ich ihm die Handschellen ab und geh zur Tür raus. Draußen im Gang steht der Rest der Gemeindeverwaltung und verschwindet hinter Bürotüren, sowie sie mich erblicken. Der übrige Tag ist natürlich dann eher ruhiger, weil es hier bei uns in Niederkaltenkirchen nur äußerst selten vorkommt, dass gleich zwei Sachen aufeinander passieren. Also ruf ich mal den Birkenberger an. Der ist aber grad mitten in einer von seinen Schnüffelaktionen und kann leider nur flüstern. Er ruft mich zurück, sagt er, sobald sein Observierungssubjekt die heimatliche Haustüre aufgesperrt hat.

Auf dem Heimweg am Abend fahr ich zufällig an der Mooshammer Liesl vorbei. Sie steht mit ihrem Radl auf dem Bürgersteig und ratscht mit einer Mitbürgerin. Ich fahr rechts ran und dreh das Fenster runter.

»Servus, Liesl«, sag ich.

»Servus, Franz. Bist ebba schon auf dem Heimweg, ha?«

»Absolut richtig erkannt, Liesl. Du, apropos Heimweg, kann es sein, dass du der Oma den Floh ins Ohr gesetzt hast von wegen Beerdigung und so?«

Die Liesl wird ein bisserl rot.

»Ja mei, was heißt denn da Floh ins Ohr. Immerhin ist sie

gleich siebenundachtzig. Meinst nicht, da sollte man einmal an so etwas denken. Schließlich soll sie es so haben, wie sie will, auf ihrer eigenen Beerdigung, gell. Und außerdem spart's ihr euch einen Haufen Stress, du und dein Vater, wenn es einmal so weit ist.«

»Du, Liesl, machst dir mal keine Gedanken wegen dem Stress vom Papa und von mir, gell. Und was die Oma angeht, geht dich das überhaupt nix an, verstanden? Nicht das Geringste. Noch nicht einmal, wenn wir sie hinterm Haus auf den Kompost schmeißen würden.«

Fenster rauf und weg. Weil alles gesagt wurde, was gesagt werden musste.

Am nächsten Tag in der Früh kommt der Flötzinger vorbei. Er ist in Arbeitskleidung und mit dem Firmenwagen unterwegs.

»Mir ist was Saublödes passiert«, sagt er gleich, wie er zum Saustall reinkommt. Ich steh grad so mit dem Handtuch um den Bauch im Bad und föhn mir die Haare. Genau genommen knie ich. Der Flötzinger hockt sich aufs Kanapee und streichelt dem Ludwig seinen Kopf.

»Was ist denn Saublödes passiert?«, ruf ich nach draußen. Jetzt schaut der Flötzinger rüber zu mir.

»Du, Franz, wieso hast du den Alibert so weit unten aufgehängt? Der ist ja viel zu niedrig für dich.«

»Findest du? Ich find ihn perfekt. Also, was ist passiert?«

»Die Beischls haben angerufen. Ihre Heizung ist kaputt. Ich soll da hinkommen und sie reparieren.«

»Großartig. Ein neuer Auftrag für dich.«

»Ha. Ha. Was soll ich jetzt machen?«

»Ja, hinfahren und die Heizung reparieren, würd ich mal sagen.«

»Ich trau mich aber nicht allein. Kannst du nicht vielleicht mitkommen?«

»Du willst einen Polizeischutz?«

Ich muss lachen. »Wieso hast du nicht einfach gesagt, dass du ausgebucht bist? Dass du allerfrühestens im Oktober wieder Zeit hast?«

»Das ist ja das Komische. Die haben nämlich erst gar keinen Namen erwähnt. Haben nur gesagt, dass eben die Heizung spinnt, und ob ich gleich mal kommen kann. Erst wie ich sage, ja, gut, und wo ich denn hinkommen soll, erst dann sind sie raus mit der Sprache. Und da war's natürlich zu spät.«

»Ja, ruf halt einfach an und sag, dir ist was Schlimmes dazwischen gekommen. Spastische Lähmungen oder so was.«

»Franz, bitte!«

Es ist immer wieder dasselbe. Der Flötzinger bringt sich mit seinen depperten Weibergeschichten in irgendwelche Sackgassen, und der liebe Franz kann ihn dann mit Blaulicht und Sirene da rauslotsen. Zum Kotzen.

Also steigen wir eine halbe Stunde später die Beischl-eigene Kellertreppe hinunter und müssen tierisch aufpassen, uns dabei nicht den Hals zu brechen. Leere Schnapsflaschen, wohin das Auge schweift. Auf jeder einzelnen Stufe. Immer nur grad so viel Platz, dass eben genau ein Fuß draufpasst. Unglaublich.

Unten angekommen, fängt der Flötzinger gleich mit seiner Arbeit an. Schließlich sind wir nicht zum Spaß hier. Dann kommt die Frau Beischl die Treppe hinunter. Sie hat ein blaues Auge.

»Was ist Ihnen denn passiert«, frag ich und weiß die Antwort längst.

»Ich bin da die Kellertreppe hinuntergestürzt«, sagt sie.

Das ist ja auch wirklich kein Wunder. Wie gesagt: lebensgefährlich, dieser Pfad.

Sie schmiegt sich von hinten an den Heizungs-Pfuscher und legt ihren Kopf an sein Rückteil. Und im Nullkommanix dreht er sich um, und die zwei fangen an zu schmusen, dass es mir ganz schwindlig wird. Ja, ist der noch zu retten?

Von oben hör ich eine Stimme.

»Geht da was vorwärts, da unten?«, ruft einer von den Brüdern durchs Treppenhaus.

»Schaut ganz danach aus«, sag ich und haste so schnell wie ich kann und die leeren Flaschen es erlauben treppaufwärts. »Aber gehen S' lieber vorsichtshalber hinaus in den Garten. Nicht, dass es noch zu einer Gasexplosion kommt«, sag ich.

»Wir heizen mit Öl«, sagt der Beischl.

»Um Gottes willen«, sag ich und reiß ihn mit mir durch die Haustür hinaus. »Das ist ja noch deutlich gefährlicher. Wo genau ist Ihr Bruder?«

Er ist jetzt ziemlich eingeschüchtert und folgt mir auf dem Absatz.

»Der ist grad zum Getränkemarkt gefahren.«

Ja, das war klar.

»Aber wo ist eigentlich meine Frau?«, will er dann wissen.

»Ihre Frau? Ja, die … die ist gleich, wie wir gekommen sind, hinaus in den Garten. Weil sie natürlich die Gefahr sofort erkannt hat.«

Jetzt erkennt auch er endlich die Gefahr und folgt mir rüber zum Streifenwagen. An den lehn ich mich dann und schau zum Kamin hoch. Auch der Beischl schaut zum Kamin hoch. Ein leichtes Zittern geht von ihm aus. Und ich frag mich, ob er ernsthaft eine Explosion befürchtet oder ob ein baldiges Eintreffen des Bruders dieses Problem lösen würde.

Wie der Flötzinger rauskommt, ist der Beischl erleichtert.

Noch deutlich mehr erleichtert ist er, wie sein Bruder vorfährt. Er geht zielstrebig zum Kofferraum, öffnet ihn und gleich darauf auch eine Bierflasche.

»Ist alles gut gelaufen?«, fragt er nach einem großen Schluck.

»Alles bestens, danke der Nachfrage«, sagt der Flötzinger und schreibt seine Rechnung. Weil er hier schon ganz gern bar abkassieren würde. Nicht, dass hernach noch das hart verdiente Geld gar versoffen wird, sagt er. Das kann man verstehen. Jetzt kommt die Frau Beischl raus. Sie hat ihr T-Shirt verkehrt herum an.

»Du hast dein T-Shirt verkehrt herum an, du dämliche Kuh«, sagt ihr Gatte, während er dem Heizungs-Pfuscher seine Dienste begleicht.

Wir fahren genau so, wie wir gekommen sind. Mit zwei separaten Wägen auf die Straße hinaus. Hundert Meter weiter halt ich ihn an. Und zwar mit einer Lautsprecherdurchsage.

»Fahr sofort rechts ran, sonst knall ich dich ab«, sag ich, und er gehorcht mir aufs Wort. Wie er aus dem Wagen steigt, hat er auch schon eine drin.

»Ja, sag einmal, spinnst denn du?«, schreit er mich jetzt an.

»Ich hab hier grad meinen Arsch für dich riskiert, Freundchen. Und wenn dir in deinem ganzen Leben noch ein einziges Mal dein Schwanz wichtiger ist wie mein Arsch, dann bring ich dich um, dass das klar ist!«, schrei ich zurück und fuchtle zur Unterstreichung meiner Botschaft noch mit der Waffe vor seiner Nase herum. Aber ich glaub, er hat mich schon verstanden.

Der Anruf vom Birkenberger kommt exakt beim Anruf vom Moratschek. Beide wollen mich sprechen. Da ich mich aber beim besten Willen nicht zweiteilen kann, reich ich das richterliche Gespräch großzügig an den Papa weiter. So kann ich wunderbar mit dem Rudi telefonieren. Wir ratschen ein bisschen Privates, was mir bedeutend lieber ist als die Selbsthuldigungen über seinen Wahnsinnsjob. Am Schluss komm ich aber trotzdem nicht ganz drum rum und erfahre, dass er jetzt für zwei, drei Wochen wieder in Bella Italia abhängt. Scheint momentan das Lieblingsland aller wankelmütigen Eheleute zu sein. Ja, sagt er, er freut sich tierisch, weil dort halt schon richtig gute Temperaturen sind und die Röcke der Mädels dementsprechend kurz. Bin ich eigentlich von lauter Sexkranken umzingelt?

»Morgen wird der Moratschek aus dem Krankenhaus entlassen. Du musst ihn abholen«, sagt der Papa beim Abendessen.

»Er kann mit dem Zug fahren, er kann mit dem Taxi fahren. Meinetwegen fährt er auch mit dem Radl. Aber definitiv fährt er nicht mit mir«, sag ich und lass ein Gäbelchen Putenbrust in meinem Rachen verschwinden. Putenbrust im Speckmantel. Dazu Butterreis und Lauchgemüse. Ein Wahnsinn.

»Oder du holst ihn gleich selber ab, deinen Busenfreund«, sag ich weiter. »Dann könnt ihr euch doch auf der Heimfahrt schon prima ein Tütchen drehen.«

Ein Blick, der, würd ich ihn nicht kennen, all meine Adern hätte zufrieren lassen.

»Ich könnt ihn schon abholen, gar keine Frage. Aber ich treff mich heut Abend mit dem Simmerl. Und das kann gut später werden. Und dann bin ich morgen in der Früh wahrscheinlich nicht fit, verstehst du? Der Moratschek möchte aber unbedingt in aller Herrgottsfrüh abgeholt werden.«

»Da wird er wohl warten müssen, bis du wieder fit bist, gell«, sag ich noch so.

Wobei das natürlich ein Schmarrn ist, muss ich schon sagen. Weil der Papa nämlich mit seinem alten Opel Admiral fährt, als hätten alle vier Reifen einen Platten. Er will ihn halt ums Verrecken schonen. Es war nämlich sein erstes eigenes Auto seinerzeit. Und es soll auch das letzte bleiben, und aus. Und da die Lebenserwartung in unserer Familie extrem hoch ist, steht ihm noch was bevor, dem guten alten Admiral. Deshalb wird er eben nicht gefahren, sondern eher so rollen gelassen. Aber auf einer Strecke wie Niederkaltenkirchen – Bad Wörishofen und zurück, da wär er mit seinem Fahrstil wohl eine knappe Woche unterwegs, der Papa. Aber ist das mein Problem?

»Du, Franz«, sagt dann die Oma. »Geh, sei doch so gut und lang mir mal das Gemüse rüber.«

Der Franz ist so gut.

»Und morgen musst den Moratschek abholen, gell. Gleich in der Früh. Dass du mir das ja nicht vergisst«, sagt sie weiter.

Ich nicke.

Kapitel 15

Wie ich in den allerersten Morgenstunden in meinen Streifenwagen steig, hockt die Oma schon drin. Ihr ist langweilig, sagt sie, und außerdem freut sich der Herr Richter garantiert, wenn wir ihn gemeinsam abholen. Also fahren wir zwei Richtung Bad Wörishofen und lassen die bayerische Landschaft, die grad im Frühlingsreigen zu ersaufen droht, einfach an uns vorbeisausen. Alles blüht und duftet, dass es direkt schon fast unheimlich ist.

Die Oma ist ein klasse Beifahrer. Sie sagt nichts, sie schimpft nicht, und weil sie auch nichts hört, kann man den ganzen lieben langen Weg AC/DC auf Höchstlautstärke hören.

Einwandfreie Sache.

Der Rückweg ist weniger idyllisch, weil es jetzt erstens wie aus Eimern regnet und zweitens der Moratschek ohne Punkt und Komma jammert. Außerdem ist ihm die Musik zu laut. Und wenn schon laute Musik, dann wenigstens die Stones. Die hab ich aber nicht. Was ich hab, ist AC/DC. Die will er aber nicht hören. Also zeige ich mich kooperativ, schalt die Musik aus und ergebe mich seinen Flennereien.

»Furchtbar war das, Eberhofer, das können Sie mir glauben. Jedes Mal, wenn ich Schritte gehört hab im Gang, bin ich in Panik verfallen. Ich hätte schwören können, dass der Küstner da irgendwo lauert. Und das in meiner desolaten gesundheitlichen Verfassung. Können Sie sich das überhaupt vorstellen? Nein, das können Sie natürlich nicht. Das versteht nur einer, der schon einmal selbst solchen Gefahren ausgesetzt war«, sagt der Richter und nimmt eine Prise.

Ich seh es genau im Rückspiegel. Er lungert wie immer auf der hinteren Bank herum und versucht irgendwie, seine Nasenlöcher zu treffen. So ganz funktioniert es aber nicht. Und die Gletscherprise klebt jetzt rund um seinen Zinken, und das schaut widerlich aus. Ich konzentrier mich lieber wieder auf die Fahrbahn.

»Und in der Nacht, Eberhofer, in der Nacht war es am schlimmsten. Glauben Sie, ich hätte einschlafen können? Weit gefehlt. Eine schlaflose Nacht an der anderen. Ein einziger Albtraum, kann ich Ihnen sagen.«

»Was hat er denn wieder?«, will die Oma wissen, weil natürlich das ganze Gewimmere selbst körperlich spürbar ist. Ich zeig ihr den Vogel, und sie kapiert's sofort.

»Wo soll's denn jetzt überhaupt hingehen?«, frag ich den Richter in der tiefen Hoffnung, ihn nach Hause bringen zu können. Also zu ihm nach Hause, mein ich logischerweise.

Aber nix.

»Ja, wo soll es wohl hingehen, Sie Klugscheißer.«

»Und wo ist eigentlich Ihre liebe Frau abgeblieben, wenn ich fragen darf?«

»Meine liebe Frau ist zu ihrer lieben Schwester gefahren. Weil sie sich über ihre Gefühle klar werden muss, sagt sie. Können Sie sich das vorstellen? Nach einer so unglaublich langen Ehe fällt ihr so holterdipolter auf einmal ein, dass sie sich über ihre Gefühle klar werden muss. Das soll einer mal kapieren. Nein, ich versteh die ganze Welt nicht mehr«, sagt er und schnäuzt.

Ich persönlich kann es der Frau Moratschek ziemlich gut nachfühlen. Aber die Welt kapier ich auch nicht mehr. Kein Erbarmen mit unbescholtenen Menschen wie mir zum Beispiel.

Null. Rein gar nichts.

Wie wir heimkehren, verschwindet die Oma gleich in der Küche, und der Papa und der Richter nehmen die Wohnzimmercouch in Beschlag. Ich für meinen Teil schnapp mir den Ludwig, weil nichts hilfreicher ist für einen klaren Kopf als ein weiter Weg.

Ja, gut, so ganz weit kommen wir dann leider nicht, weil mein Diensttelefon läutet. Die Nachricht dagegen ist gut. Sehr gut sogar. Ich erfahr nämlich, dass vor ein paar Tagen ein Auto in der Nähe von Memmingen gestohlen wurde. Was ja noch nicht das Ding ist. Erst recht nicht, wo Memmingen jetzt so gar nicht in meinem Dienstrevier liegt. Wo es dann aber tatsächlich interessant wird, ist, dass heute Nacht genau dieses Fahrzeug aus noch ungeklärten Gründen plötzlich explodiert und ausgebrannt ist. Und zwar mitsamt seinem Insassen.

Ja, da könnte man sagen: Und, was geht das den Eberhofer an? Den Eberhofer geht das aber ganz und gar schon etwas an. Weil mutmaßlich die Brandleiche ausgerechnet der Küstner zu sein scheint. Zumindest ist er auf der Videoaufzeichnung von dem Parkhaus, wo der PKW entwendet wurde, ziemlich deutlich zu erkennen. Und wenn der Küstner nun also quasi in Schall und Rauch aufgegangen ist, dann kann der Moratschek wohl endlich wieder bei uns ausziehen und sich in seinen eigenen Betten wälzen.

Wenn das keine gute Nachricht ist.

Unsere Runde beenden wir in absoluter Bestzeit: einsfünfzehn. Wir sind quasi heimgeflogen, um die gute Nachricht nur ja schnell verkünden zu können.

»Und wenn das am Ende gar nicht der Küstner war?«, fragt der Papa gleich nach meinen Schilderungen.

»Genau«, sagt der Moratschek und schaut mich abwartend an.

Ich bin zugegebenermaßen noch etwas außer Atem und schüttle erst mal den Kopf.

»Auf dem Video ist er glasklar zu erkennen«, hechel ich hervor.

Die zwei Alten schauen sich an.

Dann fährt das Auto vom Leopold in den Hof.

Der Ludwig drückt mir den Kopf gegen den Schenkel.

»Servus, miteinander«, ruft der Leopold, kaum dass er zur Tür drin ist. Offenbar gut gelaunt. Hinter ihm her kommt die Panida mit der Sushi. Die Kleine streckt mir gleich die Hände entgegen.

»Wans«, sagt das kleine Goldkind, und ich nehm sie auf den Arm. Sie klatscht mir die Hände ins Gesicht und lacht.

Dem Leopold seine gute Laune ist wie weggeblasen. Er hockt sich auf die Couch, verschränkt die Arme und schweigt.

»Panida, sei doch so gut und mach den Tisch zurecht«, schreit die Oma.

Die Panida geht an uns vorbei und streift der Sushi über die Wange. Und sie streift mir über die Wange. Dann geht sie und macht den Tisch zurecht. Der Leopold droht zu explodieren.

»Wans, Wans, Wans …«, jubelt der kleine Wonneproppen.

Ich könnte sie fressen.

»Jetzt ist es aber gut«, knurrt der Leopold und steht auf. Er entreißt mir das Kind mit roher Gewalt und drückt sie an sich.

Hat er sie nicht mehr alle?

Die Sushi fängt zu weinen an.

»Leopold!«, schreit die Panida. Nimmt ihm das Kind ab und beruhigt es erst einmal.

»Ich weiß nicht, was sie immer mit ihm hat«, sagt der Gatte beleidigt und meint damit vermutlich mich.

Mir läuft es warm über den Buckel. Meine Nackenhaare stellen sich auf, und mein Bauch fängt an zu kribbeln.

Es ist wunderbar.

Der Zwerg Nase klebt am mütterlichen Busen und kleine Tränen trocknen auf den roten Backen. Ich schau sie an. Und prompt beginnt sie zu lachen. Sie kriegt einen Schluckauf. Die Panida drückt sie in meinen Arm und kümmert sich wieder um das Geschirr.

Die Stimmung beim Essen ist mäßig. Quasi nicht vorhanden. Weil jeder mit seinem eigenen Schicksal hadert. Den Leopold quält die Eifersucht. Der Moratschek wird von Panikattacken gerissen, weil er fürchtet, nach Haus zu müssen. Und das, obwohl der Küstner doch bloß mutmaßlich tot ist. Und der Papa suhlt sich im Abschiedsschmerz. Muss er doch den guten Freund gleich schon wieder ziehen lassen, wo der doch grade erst zurückkam. Die Panida füttert die Kleine, und die Oma saust ständig zwischen Esstisch und Herd hin und her, um nur ja alle hungrigen Mäuler zu stopfen.

Dann nehm ich den Zwerg Nase auf den Schoß und füttere sie weiter. Schließlich soll die arme Mutter auch etwas abkriegen. Wo sie doch sowieso ausschaut wie ein Schulkind. Was aber natürlich kein Wunder ist, wenn sie jedes Mal die Sushi füttern muss, während sich der Kindsvater den Ranzen vollschlägt.

»Der Moratschek bleibt heut Nacht noch mal da«, sagt der Papa in die Stille und schaut mich an.

Fast hab ich den Eindruck, er fragt um Erlaubnis.

Der Moratschek atmet auf.

»Bis morgen hast du das Foto von der Überwachungskamera gesehen. Wenn da eindeutig der Küstner drauf ist, kann der Moratschek heim. Und wenn auch nur der geringste Zweifel besteht, bleibt er da. Ist das klar?«, sagt er weiter und tauscht einen Eintracht geschwängerten Blick mit seinem Busenkumpel.

»Logisch bleibt er heut noch da. Schließlich müsst ihr zwei ja noch Abschied feiern, gell«, sag ich und steh auf.

Ich seh es aus den Augenwinkeln, wie die beiden sich freuen. Wie die kleinen Buben, kann ich da nur sagen. Außerdem seh ich aus dem Augenwinkel, dass es den Leopold gleich zerreißt. Um dem Ganzen noch eins draufzusetzen, werf ich die Sushi ein paarmal in die Luft, bis sie vor Freude nur noch quietscht. Dann streif ich der Panida über die Wange und übergeb ihr das Kind. Und mach mich lieber vom Acker, weil er jetzt ganz rot anläuft, der Leopold. Ich schlendere jetzt besser mal durch die Küche, dem Ausgang entgegen.

Drüben im Saustall steck ich mir die Ohrstöpsel in die Muschel, weil ich schon weiß, was heut Nacht noch so abgeht. Deshalb hör ich auch das Telefon nicht. Und ich hör auch das Türgeklopfe nicht. Im Grunde werd ich erst wach, wie ich geschüttelt und gerüttelt werde, dass es mir gleich ganz schlecht wird. Im ersten Moment schießt mir der Leopold durch den Kopf, quasi als Rache für vorhin. Nach genauerer Betrachtung allerdings ist er es nicht. Dafür ist es der Papa. Und der Moratschek. Und der Simmerl. Sie stehen alle drei vor dem Kanapee, zerren an mir rum und gaffen auf mich runter. Außerdem reden sie wie wild auf mich ein. Leider kann ich es aus ohrmuscheltechnischen Gründen nicht verstehen.

Und mal im Ernst: Für was hat man denn eigentlich einen Hund, wenn mitten in der Nacht hier jeder ein und aus gehen kann, wie es ihm passt? Ich schau den Ludwig an. Er schaut zurück. Aber nur kurz. Dann deckt er mit der Vorderpfote sein Augenlicht ab. Jawohl – schäm dich!

Die drei Besucher quasseln noch immer ganz aufgeregt auf mich ein. Und so entschließ ich mich doch noch, mein Ohrplastik zu entfernen. Mal hören, was sie wollen. Vermutlich hat der Moratschek wieder irgendwo den Küstner gesehen.

Aber nein.

»Hast du verstanden?«, ist das Erste, was ich hör, und es kommt vom Papa. Da ich aber freilich nicht das Geringste verstanden hab, deut ich auf die Ohrstöpsel und bitte um Wiederholung.

»Er hat das alles nicht gehört«, sagt jetzt der Simmerl und setzt sich auf die Kante vom Kanapee. Es hängt plötzlich unglaublich durch, und ich fürchte um die Erhaltung meiner einzigen Schlafmöglichkeit.

»Simmerl, sei mir nicht bös, aber bitte steh auf«, sag ich deshalb.

Der Metzger gehorcht.

»Der Susi geht es schlecht, und du denkst bloß an deine eigene Bequemlichkeit«, sagt er.

Im Nullkommanix bin ich auf den Beinen.

»Wieso geht's der Susi schlecht?«, frag ich und pack ihn am Krawattl.

»Hä, sag einmal, geht's noch«, schreit er mir her.

»Wieso weißt ausgerechnet du, dass es der Susi schlecht geht?«, schrei ich zurück.

Der Papa stellt sich in die Mitte und drückt uns auseinander.

»Ja, weil seine Gisela halt jetzt in Italien bei der Susi ist, und die hat's ihm dann eben am Telefon erzählt«, sagt er.

»Was hat sie erzählt, deine Gisela?«, frag ich.

Der Metzger zuckt die Schultern.

»Ja, mei, dass es ihr eben nicht so gut geht, der Susi. Dass sie halt viel zu viel Arbeit hat. Und ihr sauberer Hallodri den ganzen Tag durchs Dorf flaniert. Und streiten … streiten tun sie auch ununterbrochen, gell. Sie hat schon ganz verweinte Augen.«

Wie ich's gesagt hab. Das war mir sonnenklar. Und obwohl es mir sonnenklar war, haut's mich ziemlich um. Weil halt ein Verdacht schon was anderes ist als die bittere Wahrheit.

»Du musst sofort runterfahren und sie holen«, mischt sich der Papa wieder ein.

»So weit kommt's noch. Ich bin schon einmal runtergefahren, um sie zu holen, und hab mich dabei komplett zum Deppen gemacht«, sag ich und leg mich wieder hin.

Arme ins Genick, Augen an die Decke.

Aber das, glaub ich, muss ich doch schnell erklären. Das war nämlich so. Bevor die Susi damals beschlossen hat, Heim und Hof zu verraten und dem italienischen Gesindel die Putzfrau und Mätresse zu machen, hat sie sich den Arm gebrochen. Und ist mitsamt ihrem kaputten Arm nach Italien gefahren. Der Liebe wegen, versteht sich. Und nach ein paar Wochen hat der Gips natürlich wieder runter müssen. So ist es nun einmal. Und was macht die liebe Susi da? Sie geht nicht etwa zum italienischen Arzt ihres Vertrauens, um sich den dämlichen Arm entgipsen zu lassen. Nein, da düst sie nach Deutschland zurück. Genauer nach Bayern. Ja, um das Kind beim Namen zu nennen: nach Niederkaltenkirchen. Weil sie den italienischen Ärzten einfach nicht traut. Das muss man sich einmal vorstellen! Sie traut den Italienern nicht zu, einen Gips zu entfernen. Aber ihr Herz vertraut sie ihnen schon an. Logik der Frauen würd ich das einmal nennen.

Aber wo waren wir stehen geblieben? Genau, also die

Susi düst mit ihrem Auto grad so nach Deutschland zurück. Und zwar prompt in dem Moment, wo ich beschließe, sie aus den dubiosen Fängen ihres italienischen Hengstes zu befreien. Sie praktisch zurückzuholen zu mir. Wo sie hingehört. Koste es, was es wolle. Hat aber natürlich nicht funktioniert. Nicht funktionieren können. Weil wir eben zeitgleich direkt aneinander vorbeigefahren sind. So was ist Schicksal. Da kann man nichts machen.

Und genau aus diesem Grund fällt es mir jetzt im Traum nicht ein, noch mal den Deppen abzugeben. Nicht ums Verrecken. Die drei reden noch eine Weile mit Händen und Füßen auf mich ein, aber völlig für 'n Arsch. Ohropax marsch und Ruhe.

Kapitel 16

Wie ich am nächsten Tag in der Früh ins Rathaus komm, ist die Resonanz auf meine Anwesenheit mäßig. Kein »Guten Morgen, lieber Franz« oder »Möchtest du einen Kaffee?«.

Nein, gar nix.

Was mich persönlich nicht besonders wundert. Weil Niederkaltenkirchen eben ein Kaff ist und sich Neuigkeiten im Handumdrehen verbreiten. Besonders schlechte. Und wenn man dazu noch einen Buhmann liefern kann, ist das unglaublich populär. Und der Buhmann bin natürlich – ich. Keine Frage. Bloß weil ich mich weigere, die Susi zu holen.

Um den vorwurfsvollen Trauermienen zu entkommen, schlag ich direkt den Weg zu meinem Büro ein.

Es ist zugesperrt. Aber nicht nur das. Auf dem Schild an der Tür steht: Betreten verboten!

»Was hat das zu bedeuten?«, frag ich den Bürgermeister direkt ohne Gruß, gleich, wie ich in sein Zimmer geh.

»Ah, Eberhofer, gut, dass Sie da sind. Setzen Sie sich«, sagt der Bürgermeister und deutet auf den leeren Stuhl ihm vis-à-vis.

Ich bleib aber stehen.

Ich bleib stehen und verschränke die Arme vor der Brust.

»Also«, sag ich.

»Ja, lieber Herr Eberhofer, ich fürchte, Sie müssen sich ein paar Tage Urlaub nehmen. Es ist nämlich so … Sie haben Termiten im Büro«, sagt er weiter und erhebt sich. Dann geht er zum Fenster und schaut hinaus.

»Termiten?«, frag ich.

Ist ihm denn nichts Besseres eingefallen?

»Ja, Termiten. Oder lassen Sie es den gemeinen Holz-
wurm sein. Meinetwegen auch eine Asbestvergiftung. Nehmen Sie, was Sie wollen. Ja, bedienen Sie sich!«, lacht er und
dreht sich langsam zu mir um. Dann wird er wieder ernst
und sagt: »Jedenfalls können Sie diese Woche auf gar keinen
Fall in Ihr Zimmer, verstanden? Erst muss der Schadens-
herd gefunden werden. Ich schlage vor, Sie nehmen sich ein
paar Tage Urlaub. Fahren Sie fort, erholen Sie sich. Italien
ist um diese Jahreszeit übrigens herrlich. Und jetzt entschuldigen Sie mich bitte, ich habe zu tun.«

Er hat zu tun. Das Einzige, was er zu tun hat, ist, vormittags die Zeitung zu lesen und nachmittags irgendwelchen
Hundertjährigen zum Geburtstag zu gratulieren. Bei Kaffee und Kuchen. Wenn er Glück hat, gibt's auch ein Schnapserl. Das ist alles, was er zu tun hat, der Herr Bürgermeister.
Und ich muss erst einmal heim, um zu schauen, wo die
undichte Stelle sitzt. Anschließend werd ich sie eliminieren,
die undichte Stelle. So viel ist klar.

Wie sich hinterher rausstellt, war es die Oma, die für die
Verbreitung der leidigen Susi-Geschichte gesorgt hat. Auf
dem Wochenmarkt. In aller Herrgottsfrüh. Da ist sie nämlich auf die Mooshammer Liesl gestoßen, und da hat sie
ihr prompt vom Elend der armen Susi berichtet. Und weil
die Mooshammer Liesl praktisch wie ein Megaphon funktioniert, weiß es nun halt das ganze Dorf. Da ich aber die
Oma aus diversen Gründen unmöglich eliminieren kann,
sind natürlich all meine Tötungsabsichten hinüber.

In der Diele steht alles voll Koffer, wie ich zur Tür reinkomm. Die längst überfällige Abreise unseres werten Herrn
Richters ist das Erste, was mir durch den Kopf schießt.

Aber erstens sind es viel zu viele Koffer. Und zweitens hockt der Zwerg Nase auf einem davon und klatscht in die Hände.

»Aus dem Weg«, hör ich den Leopold plötzlich hinter mir, und er hat weiteres Gepäck in den Händen.

»Was genau wird das, wenn es fertig ist?«, muss ich jetzt wissen.

Er lässt die Koffer fallen und hievt das Kind auf den Arm.

»Na, unser Urlaub. Urlaub auf dem Bauernhof. Schon vergessen, Bruderherz?«

Bruderherz. Ich muss gleich kotzen.

Die Sushi schlägt ihm die Hände ins Gesicht. Aber ganz anders als wie sie es bei mir macht. Bei Weitem nicht so zärtlich. Er lacht trotzdem. Wahrscheinlich unter Schmerzen.

»Ach, und der Papa schläft derweil bei dir drüben. Das macht dir doch nichts aus, oder?«

»Nur über meine Leiche!«, sag ich und stampf in die Küche. Die zwei Senioren hocken am Tisch und schälen Kartoffeln. Die Oma hackt Zwiebeln. Die Panida wälzt Fleisch in Panade. Das passt ja auch. Diese Familienharmonie ist einfach umwerfend.

»Und, hast du dir die Videoaufzeichnung schon angeschaut?«, fragt der Papa, wie er mich sieht.

Verdammt! Die Videoaufzeichnung. Hab ich komplett verschwitzt.

»Nein, bin noch nicht dazu gekommen.«

Der Papa zuckt mit den Schultern und grinst.

»Dann müssen wir halt ein bisschen zusammenrutschen, drüben im Saustall, gell, Moratschek«, sagt er weiter.

Der Moratschek nickt. Und er grinst ebenfalls.

Wollen die mich fertigmachen?

Aber so schnell können sie gar nicht schauen, und ich

sitz in meinem Streifenwagen und bin auf dem Weg in die PI Landshut. Ja, so weit kommt's noch, dass mein geliebter Saustall ein Asyl wird für alternde Hippies.

Was man auf dem Band sehen kann, ist ein ganz normaler Autoklau. Ein Dieb, vermutlich männlich, nähert sich im düsteren Licht der Tiefgarage einem Fahrzeug, bricht es auf und fährt damit davon. Kleidung dunkel, Kappe tief ins Gesicht gezogen. Man sieht ihn ohnehin nur von hinten. Der Statur nach könnte es gut der Küstner sein. Aber ebenso gut auch der Dagobert Duck. Wie die Kollegen ausgerechnet auf den Küstner als Täter kommen, ist mir ein Rätsel. Wahrscheinlich war da halt der Wunsch der Vater des Gedankens.

Zurück daheim ist die Sache ganz einfach. Das Essen ist fertig und das Schnitzel ein Traum. Der Kartoffelsalat direkt zum Reinlegen. Leider natürlich viel zu wenig, weil niemand auf der Welt solche Mengen Kartoffelsalat fabrizieren kann, wie die gefräßigen Gurgeln hier vertilgen. Nicht einmal die Oma. Da kann man schon froh sein, wenn man so zwei, drei Portionen abkriegt.

»Ich hab mir jetzt einmal das Video angeschaut«, sag ich und kann damit eine kleine Essenspause verzeichnen. Zumindest beim Papa und beim Moratschek.

»Und?«, fragen beide direkt gleichzeitig.

»Glasklare Sache. Eindeutig der Küstner. Gar keine Frage. Ja, und wo der nun praktisch Asche zu Asche ist, können Sie wunderbar wieder heimkehren, Moratschek. Schließlich muss doch auch einmal jemand nach dem Rechten schauen, oder? Nicht, dass die ganze Bude noch total vergammelt«, sag ich so.

»Es kommt einmal in der Woche eine Putzfrau«, sagt der Moratschek ziemlich tonlos für meine Begriffe.

»So, so, eine Putzfrau. Das ist ja schön. Dann ist ja praktisch alles picobello, wenn Sie gleich heimkommen, gell.«

Er nickt.

Der Papa schaut ihn an. Dann legt er seine Hand auf die vom Richter. Dann legt der Leopold seine Hand auf die vom Papa. Mir würgt's direkt das Kalbfleisch hoch.

»Soll ich jetzt auch?«, fragt mich die Oma.

Ich verdreh nur die Augen und steh auf.

»Wie lange wollt ihr dableiben?«, frag ich den Leopold noch.

»Na, so zehn bis zwölf Tage. Vielleicht auch zwei Wochen. Mal sehen, wie's in der Buchhandlung läuft. Mein Mitarbeiter ist eigentlich ziemlich fit, muss ich sagen. Und momentan ist es sowieso eher ruhig. Vermutlich schafft er das prima allein.«

»Und du traust ihm so ohne Weiteres? Was, wenn er einen Mordsumsatz macht und damit durchbrennt? Auf und davon. Über alle Berge. Mit all deinem wunderbaren Geld.«

»Franz!«, mischt sich der Papa ein.

So hat das alles keinen Sinn. Es muss ein neuer Plan her.

Bevor ich mit dem Ludwig geh, sperr ich meinen Saustall ab. Das mach ich sonst nie. Aber heute ist mir die Sache eindeutig zu riskant. Ich könnte Stein und Bein verwetten, dass, wenn ich zurück bin, der Papa hier eingezogen ist. Womöglich noch mit seinem Plattenspieler. Oder gar dem Moratschek. Und darum absperren. Sicher ist sicher.

Wir gehen eine gute Runde, das Wetter ist großartig, und der ganze Wald riecht nach Frühling. Und wir brauchen eins-achtzehn dafür. Leider fällt mir aber selbst in diesen achtundsiebzig Minuten keine Idee ein, wie ich den leopoldischen Urlaub verhindern oder wenigstens abkürzen könnte. Auch die Abreise vom Moratschek steht noch in den Sternen. Was, wenn er einfach nicht will? Die Unterstützung vom Papa jedenfalls ist ihm gewiss.

Unmengen von Koffern stehen im Kies bei unserer Ankunft im heimatlichen Hof. Sollte ich gar keinen neuen Plan brauchen? Ist der Leopold womöglich von ganz alleine draufgekommen, dass er hier nicht bleiben kann? Und vielleicht der werte Richter ebenso? Dann hätt ich mir grad völlig umsonst mein Hirn zermartert, und alles löst sich in Wohlgefallen auf.

Dann kommt die Oma in den Hof gestapft. Sie hat auch Gepäck dabei. In jeder Hand ein Köfferchen, wie man es halt tragen kann, wenn man auf Kinderbeinen steht.

»Wir fahren nach Italien!«, schreit sie zu mir rüber und wirft die Koffer in den Moratschek seinen alten VW-Bus.

»Wer fährt nach Italien?«, schrei ich zurück und geh ihr mal entgegen. Irgendetwas stimmt hier nicht. Ist sie jetzt völlig durchgeknallt?

Der Moratschek schlüpft aus der Tür seines Busses und hievt einige Gepäckstücke in den Innenraum.

»Ich hab sie gefunden«, ruft der Papa von drinnen und kommt durch die Haustür zum Ort des Geschehens. Er hält etwas in Händen und wedelt damit. »Ich hab sie tatsächlich auch auf Kassette. Alle Beatles-Songs von A bis Z. Was sagt man dazu?«

Der Moratschek freut sich.

Der Papa probiert die Funktionstüchtigkeit des Autorekorders aus. Er geht. Was für eine Freude.

»Darf ich vielleicht einmal wissen, wer nach Italien fährt und zu welchem Zweck?«, frag ich den Papa.

Der sitzt hinterm Lenkrad und sortiert haufenweise Kassetten.

»Ja, wir halt. Der Moratschek, die Oma und ich«, sagt er.

»Weil irgendjemand wohl mal nach unserer Susi schauen muss. Und wenn du deinen Arsch nicht in die Höh kriegst, dann müssen wir es eben tun und aus.«

»Genau«, sagt der Moratschek und zieht sich eine Prise hinter die Kiemen.

»Und wer von euch beiden wird fahren?«, will ich noch wissen.

»Ja, ich natürlich. Weil ja der Moratschek vor lauter Medikamenten gar nicht fahren darf, gell«, sagt der Papa.

Er will fahren. Dass ich nicht lache. Da sind die ja an Weihnachten noch nicht einmal in Österreich. Aber was geht mich das überhaupt an? Hauptsache, keiner schläft in meinem Saustall. Sollen sie doch machen, was sie wollen.

Dann kommt der Leopold über den Hof, stellt sich neben mich und legt den Arm um meine Schulter.

»Na, was sagst du, Franz? Unsere Weltenbummler machen sich auf den Weg nach Italien. Und wir … wir machen uns zusammen ein paar erstklassige Tage hier. Das wird großartig! Was sagst du?«

Im Nullkommanix hab ich meine Sachen gepackt und hocke im VW-Bus. Weil: das würd mir grad noch fehlen, dass ich mir mit der alten Schleimsau eine schöne Woche mache. Danach gibt's ein Abschiedstrara, das kann man gar nicht erzählen. Der Leopold drückt den Papa, als würd der zwei Jahre lang die Erde mit einem Spaceshuttle umkreisen. Schließlich steigen alle ein. Türen zu und los geht's.

»Du musst jeden Tag mit dem Ludwig eine große Runde gehen«, schrei ich grad noch aus dem Fenster. »Mindestens eine Stunde lang. Hast du kapiert?«

Der Leopold nickt und winkt uns zum Abschied. Der Ludwig hockt beleidigt daneben. Er schaut mich noch nicht einmal an.

»Was habt's ihr denn vor?«, fragt der Simmerl, gleich wie ich zur Tür reinkomm. Er schaut durch sein Metzgerfenster genau auf unsere kleine Reisegesellschaft.

»Wir fahren nach Italien, wenn's recht ist. Und jetzt machst mir noch ein paar schöne Leberkässemmeln, gell. Weil: wer weiß, bis wann wir wieder etwas Gescheites zum Essen kriegen.«

Der Simmerl grinst, wie er mir den Beutel über den Tresen langt. Ein selbstgefälliges, überhebliches Grinsen, muss ich schon sagen.

Kapitel 17

Bis wir am Brenner sind, haben wir sechs Pinkelpausen eingelegt, alle Leberkässemmeln gegessen und leider auch zwei Beatleskassetten beim Luftzug durch das offene Fenster verloren. Der Papa ist sauer und besteht darauf, auszusteigen, um nach den verlorenen Schätzen zu suchen, und ich kann ihn nur mit Waffengewalt daran hindern. Danach redet er kein Wort mehr. Zumindest nicht mit mir. Mit der Oma auch nicht, weil's bei der eh nix bringen tät. Zum Moratschek sagt er ein paarmal: »Dieses Arschloch«, und meint damit vermutlich mich. Aber jeder Mensch auf diesem Planeten hätte vollstes Verständnis für meine Handlung. Wenn man nämlich in einem alten VW-Bus mit Höchstgeschwindigkeit hundertzehn und drei Senioren über fünfhundert lange Kilometer vor sich hat und ständig dieses weinerliche Gedudel im Ohr, da bleibt einem nur dieser Ausweg: Fenster auf. Beatles raus. Da kann der Papa noch so wimmern.

Es ist zehn nach zwei in der Nacht, wie wir den Gardasee erreichen. Bei meinen Reisegenossen ist Ruhe eingekehrt, wenn man einmal von dem Geschnarche absieht. Da ich beim besten Willen nicht weiß, wo wir hinwollen, und weil man um diese Uhrzeit sowieso keine Unterkunft mehr bekommt, fahr ich in Torbole auf den erstbesten Parkplatz und steig aus dem Wagen. Von den Kniekehlen aufwärts bis zum letzten Halswirbel bin ich gelähmt. Ich kann mich nur äußerst langsam vorwärts bewegen, und bei der geringsten Dehnung kracht und knackt es, als würd ich mir grad sonst was brechen. In weiser Voraussicht hab ich von daheim ein paar Bier mitgebracht. Es ist zwar leider nicht mehr kalt, schmeckt aber trotzdem einwandfrei. Das erste trink ich gleich im Stehen auf Ex. Eine Zischhalbe sozusagen. Das zweite ist dann mehr für den Genuss, und so such ich mir ein Plätzchen zum Verweilen. Ein paar Schritte weiter ist schon der See, und da hock ich mich ans Ufer und genieße. Die Wellen klatschen ans Land, und das ist schön. Es ist auch deutlich wärmer als wie bei uns daheim. Und so rutsch ich ein bisschen nach vorn, zieh die Schuh aus und lass die Haxen ins Wasser hängen. Das ist nicht schön. Das Wasser ist eiskalt und viel zu stürmisch. Bis ich schau, ist meine Jeans nass bis rauf zum Hintern. Na bravo! Weil es mich jetzt friert wie einen Hund, geh ich zum Bus zurück und such in dem Tohuwabohu was Trockenes zum Anziehen.

»Sind wir schon da?«, tönt es aus dem Schlafwagen heraus, und es ist der Moratschek, der sich behaglich in den Sitzen räkelt.

»Wunderbar, da ist ja der See!«, schnauft er voll Begeisterung. »Eberhofer, wachen Sie auf. Wir sind da. Schauen Sie sich doch nur den wunderbaren See einmal an!«

Der Papa wacht auf und schaut sich den wunderbaren See an. Dann latscht er los und hockt sich ans Ufer. An die gleiche Stelle, wo ich grad gesessen bin. Der Moratschek tut es ihm gleich. Und so hocken sie Arschbacke an Arschbacke und schauen in den wunderbaren See hinaus. Aber nicht lange. Dann zieht der Papa Schuhe und Socken aus und hängt die Beine ins Wasser.

»Das Wasser ist eiskalt und spritzt bis zum Bauch rauf«, ruf ich ihm noch zu. Aber er winkt nur ab, steht auf und zieht sich aus. Splitterfasernackt. Und wie könnt es anders sein, der Richter entblößt sich auf die gleiche Weise. Ich traue meinen Augen nicht, aber die zwei Alten springen in die eisige Flut und plantschen und lachen und haben die größte Gaudi dabei. Schon beim alleinigen Zuschauen klappere ich mit den Zähnen, zieh mir alles drüber, was ich auch nur finden kann, und hau mich businternn ein wenig aufs Ohr. Weil mich praktisch die Müdigkeit direkt niedermäht.

Wie ich am Morgen aufwach, kann ich nicht glauben, was ich da sehe. Weil: erstens ist der See jetzt auf der anderen Seite, zweitens schlagen die Herren Eberhofer und Moratschek grad ein Zelt auf und drittens seh ich durch das andere Autofenster hindurch einen wohlbekannten Wagen. Gas-Wasser-Heizung Flötzinger steht da drauf. Die Tür vom VW-Bus geht auf, und der Simmerl streckt seinen Schädel herein. Ich häng wohl grad in einem Albtraum fest.

»Servus, Franz, na, was sagst? Der Flötzinger und ich sind jetzt auch da!«, ruft er rein und scheint bester Laune.

»Das ist nicht zu übersehen.«

Dann streckt auch die Oma ihren Kopf zu mir rein und sagt: »Komm frühstücken, Bub. Ich war schon beim Bäcker.«

Sie war schon beim Bäcker. Wie zum Teufel hat sie sich da verständlich gemacht? Aber sie weiß gleich, was ich denke.

»Ja, da schaust, gell. Aber es ist doch vollkommen wurst, ob ich auf Deutsch oder auf Italienisch nichts höre«, sagt sie. Da hat sie recht.

Draußen stehen ein Campingtisch und einige Stühle, und der Frühstückstisch schaut fast genauso aus wie daheim. Es schmeckt auch fast genauso. Ja, gut, die Semmeln sind außen nicht resch, sondern bröselig und innen nicht weich, sondern auch bröselig, aber sonst alles einwandfrei.

»Ihr wollt doch nicht etwa zelten?«, frag ich, während ich in eine Semmel beiß. Weil ich das ganze Drumherum inzwischen glasklar als Zeltplatz identifiziert hab.

»Logisch, was sonst?«, sagt der Papa. Er kniet am Boden, hat einen Hering im Mund, und man kann ihn kaum verstehen.

Der Flötzinger kommt ums Eck mit einem Zettel und einem Schlüssel in der Hand.

»Wir haben direkt den Wohnwagen neben eurem Zelt«, sagt er und macht sich gleich daran, seine neue Behausung aufzusperren.

»Was genau treibt euch eigentlich hierher?«, muss ich jetzt wissen.

»Du, der Simmerl und ich, wir haben uns gedacht, so ein paar Tage Urlaub könnten uns ja auch nicht schaden, gell. Und wo unsere Frauen eh weg sind, haben wir gemeint, wir könnten euch doch prima Gesellschaft leisten«, sagt der Heizungs-Pfuscher.

»Aha.«

»Fertig!«, sagt der Papa und steht mit stolzgeschwellter Brust vor seinem Zelt. Der Moratschek holt zwei Schlafsäcke aus dem VW-Bus und rollt sie hinein. Also in das Zelt, mein ich.

»Einwandfrei«, sagt der Papa.

»Einwandfrei«, sagt der Moratschek.

»Und wo bitte schön soll die Oma schlafen? Und meine Wenigkeit, wenn ich fragen darf?«, muss ich jetzt wissen.

Der Papa schmeißt mir einen Beutel rüber. Ich fang ihn auf. ›Fast&Light Zweimannzelt‹ steht drauf.

»Vergiss es!«, sag ich, schmeiß das Teil zurück und erheb mich vom Esstisch. Ich schnapp mir die Oma. Wir wandern los und suchen uns eine kleine, feine Pension ganz in der Nähe.

Nach einer heißen Dusche geht's uns entsprechend großartig, und so machen wir zwei uns auf den Weg und flanieren erst einmal ein bisschen am See entlang. Es ist noch nicht so überlaufen von Touristen, weil halt Ostern nicht so direkt die Hauptsaison ist, hat unsere Pensionswirtin erzählt. Sie kann gut Deutsch, wie fast ein jeder hier, was uns natürlich den Aufenthalt ungemein vereinfacht. Weil: seien wir einmal ehrlich, keiner von uns kann wirklich einen Brocken Italienisch. Mit Ausnahme von Pizza vielleicht. Oder Grappa. Oder Vino. Aber das war's auch schon. Die Oma will ein Eis, und das kriegt sie natürlich. Und Eis heißt Gelato, das wissen wir jetzt ebenfalls.

Nach unserem kleinen Rundgang durch das wirklich nette Dorf gesellen wir uns wieder zu unserem Zeltplatzgesindel. Alle sind vollzählig, und diesmal ist auch die Gisela mit von der Partie. Wahrscheinlich wurde sie telefonisch vom Gatten über seinen aktuellen Aufenthaltsort informiert. Freuen tut sie sich aber nicht sehr über seine Anwesenheit. Eher ärgern. Weil: wer passt denn jetzt auf ihre mordswichtige Metzgerei auf? Und wer bedient die Kundschaft? Und wer holt das ganze Fleisch vom Schlachthof? Und so weiter und so fort. Der Simmerl sagt, der Max muss das sowieso endlich mal lernen. Verantwortung zu übernehmen und so. Der Max ist der gemeinsame Sohn und ein echter Langweiler. Faul bis dorthinaus und jenseits aller fleischtechnischen Erfahrung, versteht sich. Aber der Simmerl sagt, der kann das. Außerdem wär da ja auch noch die Verkäuferin. Die braucht zwar einen Taschenrechner, um zwei Paar Wiener zu addieren, aber gut. Und ein befreundeter Metzger kommt einmal am Tag vorbei und bringt Lieferungen. Das wird ja wohl klappen, meint der Simmerl. Schließlich kann der Bub doch nicht ein Leben lang nix tun, oder?

Die Gisela möchte, dass ihr Gatte wenigstens zu ihr in die Pension zieht. Das will er aber auf gar keinen Fall. Nicht ums Verrecken. Freilich ist mir gleich klar, warum. Weil er da nämlich am Abend nicht locker ein Tragerl Bier so einfach wegzischen kann. Da ist nämlich Schluss, nach sechs, acht Halben. Und das will er natürlich nicht, der Simmerl. Schließlich hat er ja Urlaub. Und muss nicht wie daheim mitten in der Nacht aufstehen. Drum also Bier und Wohnwagen statt Gisela und Pension. Das leuchtet ein. Und die Gisela trägt es mit Fassung.

»Die Susi wird sich vielleicht freuen, wenn sie euch sieht! Wann wollt ihr sie denn besuchen?«, will sie wissen.

»Wir wollen sie überhaupt nicht besuchen. Eigentlich will nur der Franz sie besuchen«, sagt der Papa.

Die Gisela freut sich. Schaut mich ganz warmherzig an und legt mir die Hand aufs Knie.

»Ich ... wieso ich? Eigentlich hab ich geglaubt, ihr wollt euch drum kümmern. Weil ich das ja eh nicht hinkrieg«, sag ich jetzt so.

Die Gisela nimmt ihre Hand wieder weg. Nimmt die Hand weg und stemmt sie stattdessen in ihre Hüfte. Die andere übrigens auch. Das sieht nicht grad freundlich aus.

»Vielleicht sollten wir erst einmal schön zum Essen gehen und dabei einen Schlachtplan machen«, sagt der Flötzinger und stößt damit auf breites Einverständnis. Also wandern wir los.

Meine Pizza ist lecker, da gibt's nix zu deuteln, obwohl der Moratschek hundertmal sagt, dass er und sein Weib eine Allergie gegen Meeresfrüchte haben und eitrige Wimmerl davon kriegen. Mir schmeckt's jedenfalls einwandfrei. Allerdings ist man hier als leidenschaftlicher Biertrinker schon ziemlich aufgeschmissen. Weil du problemlos einen Liter Wein haben kannst für den Preis von einem winzigen Bier. Und da muss man sich halt dann entscheiden, gell.

Entweder wohlhabend nüchtern bleiben oder sich in den Ruin saufen. Die Stimmung ist trotzdem großartig.

Plötzlich klingelt mein Telefon, und die PI Landshut ist dran. Es gibt Neuigkeiten, zwei Stück an der Zahl, die da lauten: Erstens ist der tote Autodieb keineswegs der Küstner. Das hat ein zahnmedizinisches Gutachten glasklar ergeben. Zweitens muss der Moratschek jetzt beim Amtsarzt antanzen, wenn er nicht bald wieder seinen richterlichen Hammer schwingt. So sagt er das, der Kollege. Und er fragt, ob ich zufällig weiß, wo der Moratschek grad so rumhängt.

Ich sag: »Genau mir vis-à-vis«, und mein Vis-à-vis starrt mich entgeistert an.

»Wer war das?«, fragt er gleich nachdem ich aufgelegt hab.

»Die Kollegen aus Landshut«, sag ich und schlürf an meiner Kaffeetasse, wo noch nicht mal mein Finger durch den Henkel passt.

»Und was bitte schön wollten die werten Kollegen aus Landshut meinetwegen wissen?«, fragt er weiter und nimmt eine Prise.

»Zum Amtsarzt müssen S', Moratschek. Weil's Ihren dienstlichen Pflichten nicht mehr nachkommen seit geraumer Zeit.«

Das trübt seinen Frohsinn, fürcht ich. Der Papa legt ganz mitfühlend seinen Arm auf die juristische Schulter.

»Was haben s' denn schon wieder, die zwei?«, fragt die Oma und nippt an ihrem Rotwein. Ich verdreh nur die Augen, und sie tut es mir gleich.

»Gibt's sonst noch was Neues aus der Heimat?«, fragt der Richter mit zittriger Stimme. Ich schüttel den Kopf. Vom nicht erfolgten Verbrennungstod des Herrn Küstner sag ich lieber nix. Weil die Urlaubsstimmung sonst ja praktisch völlig dahin wär.

Nachdem ich die Oma ins Bett gebracht hab, treff ich mich mit den Herren Flötzinger und Simmerl in der dorfeigenen Disco. Allerhand los da. Der Simmerl steht schon am Tresen und hat einen Brustbeutel um den Hals. »Sparkasse Landshut« steht drauf. In Neongelb. Sehr chic, wirklich. Er gönnt sich ein Bier. Hat sich offenbar für den Ruin entschieden. Ich bestell mir einen Bardolino, der ist ganz lecker, vorausgesetzt, man schüttet ihn nicht in den Kragen wie Bier.

Es ist eine Gruppe junger Frauen auf der Tanzfläche, und mitten darunter der Flötzinger. Dreht sich im Kreis und tanzt um sie herum, dass es schon direkt widerlich ist. Dann tanzt er auf uns zu.

»Eine Synchronschwimmermannschaft aus Österreich«, sagt er und bestellt eine Runde Schnaps. Für das Weibsvolk, versteht sich. Er nimmt das volle Tablett und tänzelt zurück auf das Parkett. Der Simmerl und ich stehen am Tresen und betrachten das heitere Prosit.

Ein Weilchen später kommt eines der Mädchen zu uns rüber und bestellt sich ein Wasser.

»Seid ihr auch aus Landshut?«, will sie von uns wissen.

Wir nicken. Weil es wahrscheinlich wenig Sinn macht, einer Österreicherin von der Existenz Niederkaltenkirchens zu berichten.

»Fahrt's ihr auch für den AC Landshut?«, fragt sie weiter.

Ich weiß nicht, wovon sie spricht. Der Simmerl offenbar auch nicht. Wir schauen uns nur an.

»Ihr seid's doch mit dem Ritchi da, oder?«, fragt sie jetzt.

Wer genau ist der Ritchi, denk ich mir so. Komm aber ziemlich schnell drauf, dass der Flötzinger wahrscheinlich nicht sagen wollte, dass er Ignatz heißt. Nicht bei so hübschen jungen Mädchen. Und vermutlich hat er auch nicht sagen mögen, dass er ein Gas-Wasser-Heizungs-Pfuscher ist. Drum eben ein Rennfahrer. Das kommt immer gut an. Kann ich gut verstehen.

Also nicke ich.

»Wer genau ist der Ritchi?«, fragt jetzt der Simmerl. Sie schaut zuerst ihn an und dann mich, zuckt mit den Schultern, nimmt ihr Wasser und geht. Ich erzähl gleich dem Simmerl von meinem Verdacht. Er zieht eine Augenbraue hoch, trinkt sein Bier aus und bewegt sich ebenfalls auf die Tanzfläche.

»Hey, Super-Ritchi! Ich bin's, dein bester Freund Django«, schreit er dem Flötzinger entgegen. Und bis ich schau, hopst auch der Metzger völlig synchron zwischen den Weibern herum, dass der Sparkassen-Beutel nur so fliegt. Weil mir das zu blöd wird, trink ich aus und geh lieber noch mal zum Zeltplatz rüber. Mal schauen, was die Senioren machen.

Auf dem Weg dorthin kommt mir der Luca Toni entgegen. Ich vermute mal, dass es nicht der echte ist, sondern vielmehr der von meiner Susi. Weil: soweit ich weiß, muss der eben direkt ein Abbild sein davon. Also, vom echten Luca Toni, mein ich. Ja, und dieses zweitklassige Duplikat kommt mir jetzt halt so entgegen. Und zwar mit Begleitung. Innigst umarmt. Ich kann natürlich gleich erkennen, dass es sich dabei nicht um die Susi handelt, und würd ihm drum gern eine aufs Maul hauen. Weil ich aber leider nicht absolut sicher bin, dass es nicht doch vielleicht der echte ist, lass ich es lieber bleiben. Lass es bleiben und geh direkt auf den Zeltplatz rüber.

Aus der kleinen Kantine dort dröhnt laute Musik. Adriano Celentano, wenn ich nicht irre. Der Papa und der Moratschek haben offensichtlich schon Anschluss gefunden. Jedenfalls hocken sie bei Rotwein und Tropfkerzen auf leeren Chiantiflaschen und lautstarker Musik um einen Tisch herum, und ein paar andere des gleichen Jahrgangs machen es grad so. Gleich wie die Musik verstummt, rennt die Wirtin zur Jukebox und sorgt für Nachschub. ›Ti amo‹ dröhnt es jetzt, und alle sind begeistert und singen eifrig mit.

Ich sehn mich nach dem Ludwig und meinem Saustall. Und nur die Gewissheit, daheim auf die alte Schleimsau zu stoßen, lässt mich hier ausharren.

Wie die Oma und ich am nächsten Tag zum Frühstück kommen, ist ein Trara auf dem Zeltplatz, das kann man gar nicht erzählen. Die Gisela ist da und schreit, dass sich die Zeltstangen biegen, und der Papa kommt völlig hysterisch auf uns zugerannt und fragt, ob wir den Moratschek gesehen haben. Er trägt nur Unterhose und Socken, und es schaut einfach furchtbar aus. Nachdem ihn die Oma zur Sau macht, wie er eigentlich rumläuft, zieht er sich was drüber und erzählt dann, dass eben der Moratschek abgängig ist.

»Seit wann genau?«, frag ich.

»Keine Ahnung«, sagt er schulternzuckenderweise. »Ich bin vor einer halben Stunde aufgewacht, und da war er schon weg.«

Also wird der ganze Zeltplatz durchkämmt, und schließlich findet ihn eine Synchronschwimmerin auf dem Herrenklo. Da ist er nämlich eingeschlafen, der Herr Richter, grad wie er seinen Rotwein abgeben hat wollen.

Ein Problem wäre also gelöst.

Das andere Problem ist aber genau diese Synchronschwimmerin. Weil die nämlich prompt aus dem Wohnwagen schaut, exakt wie die Gisela kommt, um nach dem Gatten zu sehen. Und weil sich der ja, wie wir wissen, mit dem Flötzinger einen Wohnwagen teilt, kriegt jetzt die Gisela einen Eifersuchtsanfall, der sich gewaschen hat. Stein und Bein schwört der Simmerl, dass er damit nix zu tun hat. Ganz bestimmt nicht. Vielmehr wär es der Heizungs-

Pfuscher gewesen, der die ganze Nacht lang synchronisiert hat. Irgendwann glaubt die Gisela schließlich den Beteuerungen ihres Gatten und gibt Ruhe. Allerdings nicht, ohne dem Flötzinger noch mitzuteilen, dass natürlich die Mary von der Sache erfährt.

Gleich nachdem das Ehepaar Simmerl einträchtig den Zeltplatz verlassen hat, kommt eine zweite Schwimmerin direkt aus dem Wohnwagen. Und da ist es ziemlich gut, dass die Simmerls jetzt schon weg sind, glaub ich.

Die Oma sagt ein paarmal: »Sodom und Gomorrha!«, und dann gibt's endlich Frühstück.

Die folgenden Stunden sind wunderbar entspannt, die Frühlingssonne heizt großartig, und so lieg ich am Ufer und tank erste Farbe. Die Oma hockt sonnenbeschirmt in einem Liegestuhl daneben, was eindeutig bequemer ist, weil sich der Kies dann nicht durch drei Hautschichten bohren kann. Der Papa und der Moratschek beschließen, sich ein Tretboot zu leihen, und treten in bester Laune den Fluten entgegen. Eine Weile schau ich hinterher, bis sie außer Sichtweite sind. Die Oma lässt Steine floppen. Sie kann das richtig gut. Viel besser als ich. Das ärgert mich, drum leg ich mich wieder nieder und döse einfach dem Tag entgegen. Das ist herrlich.

Weniger herrlich ist es, wie ich aufwach. Weil ich zwar jetzt Farbe hab, aber es ist nicht die, die ich eigentlich wollte. Mehr so rot. Ich hab einen Sonnenbrand, frag nicht, und jede Bewegung tut mir weh.

»Ja, wie schaust du denn aus, Franz!«, schreit mir die Oma her und macht sich gleich auf den Weg. Holt einen zweiten Sonnenschirm und einen Quark und streicht mir damit die Frontseite ein.

»Und jetzt bleibst gefälligst im Schatten hocken, sonst schaust heut Abend aus wie ein Indianer«, sagt sie noch.

Dann kommt der Typ vom Bootsverleih.

»Mamma mia, Sonne vielsuviele. Nickt gut für Haut – eh!«, sagt der Schlaumeier, und, dass sein Boot überfällig ist. Es wär für zwei Stunden gebucht, und jetzt sind es schon fast vier. Ob wir irgendwas wissen.

Wir wissen nix. Also erheb ich mich schmerzhaft aus meinem Kiesbett und wandere mit meiner Ganzkörper-quarkmaske am Ufer entlang. Immer die Hand zu Hilfe, in der Ferne zwei alternde Schiffbrüchige zu entdecken. Die Oma schreit aus Leibeskräften ständig »Halloho!«, aber ihr Einsatz wird ebenso wenig belohnt wie mein eigener. Eine weitere Stunde später beschließen wir, meine italienischen Kollegen zu informieren.

In der Dämmerung wird das Tretboot gefunden, ganz in der Nähe von Gargnano und von einem Motorboot zurückgebracht. Die Herren Moratschek und Eberhofer Senior sind noch immer gut gelaunt, und ich glaub, auch ein bisschen verwirrt. Im Vergleich zu ihrem Sonnenbrand verblasst mein eigener zur Nichtigkeit.

Es gibt einige Formalitäten zu klären, und die Wirtin fungiert als Dolmetscher.

»Die zwei sind völlig zugekifft«, übersetzt sie abschließend die Worte des Kollegen. Ein bisschen grinst sie dabei.

»Ja«, sag ich, »deswegen bin ich ja hier«, und ziehe meinen Dienstausweis hervor. »Die zwei werden verhaftet und umgehend außer Landes gebracht.«

Die Wirtin übersetzt.

Der Kollege nickt.

Der Papa und der Moratschek schauen verwirrt.

Dann zahlen sie die horrende Nachgebühr an den Boots-verleiher und die noch horrendere Rettungsgebühr an die Wasserpolizei. Die Oma haut dem Papa gegen das Schien-bein, und nicht einmal das entlockt ihm eine Gegenwehr.

Kapitel 18

Abends hab ich weder Verlangen nach Flötzinger, Simmerl und Mätressen noch auf das singende Altenheim. Da aber Letzteres wohl das kleinere Übel ist, entscheid ich mich dafür. Umberto Tozzi hat die kleine Kantine fest im Griff. Man liegt sich in den Armen und singt lautstark mit. Der Papa raucht einen Joint. Gemeinsam mit der Wirtin, die auf seinem Schoß sitzt.

Ich bin fassungslos.

»Immer wieder erquicklich, so eine Orgie, gell«, sag ich gleich wie ich zum Tisch komm.

»Franz, entspann dich«, sagt der Papa. »Komm, setz dich her zu uns.«

Er schiebt mit dem Fuß einen Stuhl hervor, und die Wirtin erhebt sich und schenkt Wein ein.

»Eberhofer«, ruft jetzt der Moratschek übern Tisch. »Schön, dass Sie da sind. Waren S' denn eigentlich schon einmal bei Ihrer Susi?«

»Genau«, sagt der Papa. »Warst du jetzt schon bei der Susi oder nicht?«

Die Wirtin platziert ihren üppigen Leib wieder auf seinem Ursprungsort und nimmt dem Papa den Joint aus dem Mund. Dann fangen die zwei an zu singen.

»Jetzt sind S' doch einmal ein Mannsbild, Eberhofer«, sagt der Richter in meine Richtung und versenkt seinen Zinken in einer Gletscherprise. »Machen S' nicht so ein Gestell. Wissen S', ein bisschen Mut gehört schon auch zum Leben.«

»So, so, ein bisschen Mut also«, sag ich und beug mich weit übern Tisch. »Dann können S' jetzt gleich mal anfangen mit dem Mutigsein, Moratschek. Es war nämlich gar nicht der Küstner, der wo da im Auto verbrannt ist, gell. Ein ganz ein anderer war das. Nur dass Sie das wissen. So, und was ist jetzt von wegen Mut?«

Gleich wie ich es ausgesprochen hab, bereu ich es schon. Erst recht, wie ich dem Moratschek sein Gesicht seh. Erbärmlich. Ich geh dann mal lieber, bevor der Papa was merkt.

Beim Frühstück ist die Stimmung ziemlich hinüber. Sie wird auch nicht besser, wie der Simmerl kommt und verkündet, dass in seiner Metzgerei alles drunter und drüber geht. Er hat schon ein paar Anrufe von verärgerten Kunden erhalten, und vermutlich ist sein Max mit der Aufgabe wohl doch überfordert. Jetzt hat er beschlossen, dass die Gisela gleich nach dem Essen heimfährt.

Da hat er die Rechnung aber ohne sein Weib gemacht, muss ich schon sagen. Weil die nämlich plötzlich einmarschiert mit wehenden Fahnen und schreit:

»Aufbruch, Simmerl! Pack deine Siebensachen zusammen und mach dich vom Acker. Ich hab nämlich Urlaub, verdammt. Und es war überhaupt gar nicht ausgemacht, dass du nachkommst!«

Aber der Simmerl hockt sich bockig in seinen Campingstuhl und verschränkt die Arme vor der Brust.

Das Telefon vom Moratschek läutet. Er steht auf und geht ein paar Schritte den Kiesweg entlang.

»Gott-sei-Dank!«, können wir ihn hören. Wie er zurückkommt, verkündet er befreit, dass die Kollegen grad den Küstner verhaftet haben. In einer Großaktion. Mit SEK und Pipapo. Wenn das keine gute Nachricht ist.

Genau in diesem Moment kommt der Super-Ritchi ums Eck und hat links und rechts eine Synchron-Tussi im Arm.

»Servus, Django«, flöten die Mädels zum Simmerl rüber. Das stimmt die Gisela auch nicht grade heiterer. Wie der Flötzinger die Gisela sieht, hat's sich bei ihm auch ausgeheitert, und so gibt er seinem Gefolge je einen kleinen Klaps auf den strammen Hintern, und sie verschwinden dahin, woher sie gekommen sind.

»Du, Gisela«, sagt er ein bisschen verlegen. »Es ist nicht so, wie es ausschaut.«

»Ja, wie schaut es denn aus, Flötzinger?«, fragt die Gisela zurück, wartet aber keine Antwort ab und widmet sich vielmehr erneut ihrem Gatten.

»Auf geht's, Django!«, sagt sie.

Und dann tritt sie gegen den Campingstuhl, dass der Simmerl direkt auf den Boden knallt. Obwohl das natürlich sehr lustig ausschaut, ist es uns irgendwie peinlich. Von guter Stimmung quasi weit entfernt.

Nachdem der Metzger sein Zeug gepackt hat, sagt die Gisela, sie hat jetzt auch keine Lust mehr auf Italien und will mit heimfahren. Dann sagt der Moratschek, er hat jetzt auch keine Lust mehr. Außerdem muss er dringend wieder einmal zur Arbeit, bevor er noch zum Amtsarzt muss. Und wo ja der Küstner praktisch nicht mehr unter uns weilt, besteht sowieso keine Gefahr mehr.

Alle Hinderungsversuche vom Papa scheitern, und so packt auch der Richter seine Habseligkeiten und hievt sie in den Simmerl'schen PKW.

Beim Abschied haucht der Heizungs-Pfuscher ins Ohr vom Metzger:

»Du, wenn die Mary von der Gisela was erfährt, bist du fällig, mein Freund!«, und der haucht zurück:

»Und wie soll ich das verhindern, du Arschloch?«, worauf der Flötzinger wieder haucht: »Lass dir was einfallen!«

Dann schütteln sie sich mit zusammengekniffenen Augen die Hände, und alles ist gut.

»Bringen S' mir meinen Bus gut nach Haus, Eberhofer«, sagt der Moratschek noch beim Einsteigen.

Ich nicke.

So machen sich also die Eheleute Simmerl unter richterlicher Begleitung auf den Heimweg, und wir winken noch ein bisserl nach.

Anschließend mach ich mich mit der Oma auf den Weg zum Markt nach Malcesine. Mit dem Riesen-VW-Bus einen Parkplatz zu ergattern, ist dort schier unmöglich. Drum fahren wir damit quer durch die Budenstraße, immer in Schrittgeschwindigkeit, versteht sich. Ganz offensichtlich denken die anderen Besucher, wir liefern was an, weil alle ganz brav zur Seite treten. Einigermaßen überrascht bin ich über die Tatsache, dass zwischen all den Händlern mit Olivenöl, Parmesan und Lederjacken auch haufenweise Vietnamesen sind, die ihre gefälschte Markenware feilbieten. Man kommt sich ja direkt vor wie in der Tschechei.

»Schau, lauter Japsen«, schreit die Oma.

»Wenn schon, dann Vietsen«, sag ich zurück, aber sie kann mich eh nicht hören. Dann passieren wir einen Stand mit Plüschtieren in Menschengröße. Das ist schön. Ich hau den Warnblinker ein und steig aus. Der Händler ist natürlich ebenfalls ein Vietnamese und fällt gleich über mich her.

»Da, gute Ware. Billig. Kaufen.«

Ich schieb ihn zur Seite und geh zielstrebig auf einen Gorilla zu. Er sitzt zwischen einem rosaroten Flamingo und der Biene Maja und hat genau die Größe von der Oma.

»Was soll der kosten?«, frag ich und deut auf meine Beute.

»Fünfzig«, sagt das Schlitzauge.

Ich geh zurück zum Bus.

»Vierzig«, schreit er, genau wie ich einsteig. »Dreißig«, wie ich den Motor anlass. Bei fünfundzwanzig schlage ich zu und verfrachte meinen Fang auf der Rückbank.

»Für die Sushi«, sag ich zur Oma, und sie kapiert's.

Ein paar Stände weiter kauft sie ein paar Tonschüsseln zweiter Wahl mit einem Tomaten- und Knoblauchmuster drauf, weil die reduziert sind. Danach finden wir schließlich einen astreinen Parkplatz und essen gleich ums Eck einen Teller Spaghetti mit Soße.

So lässt es sich leben.

Wie wir zum Zeltplatz zurückkommen, sitzt der Papa völlig verlassen in einem Campingstuhl und starrt ins Leere. Apathisch quasi.

»Gehen wir was essen?«, fragt er fast lautlos, wie er uns sieht.

»Da kommst jetzt grad ein bisschen spät«, sag ich. »Die Oma und ich, wir haben nämlich schon eine hammermäßige Nudelparty geschmissen.«

»Schön, wenn ihr satt seid«, sagt er ganz wehleidig, steht auf und kommt auf mich zu.

»Hauptsache, dir geht es gut, gell. Du bist ein grenzenloser Egoist. Deine Verwandtschaft interessiert dich einen Scheißdreck. Du hast ja noch nicht einmal nach der Susi geschaut.«

Dann quetscht sich die Oma zwischen uns.

»Eine Ruh ist jetzt, verdammt. Ich lass mir doch von euch zwei Deppen nicht meinen Urlaub vermasseln!«

Wir drehen uns alle drei ab, und die Oma murmelt noch: »Sargnägel. Ihr zwei seid's wirklich meine Sargnägel!«

Der Papa setzt sich zurück in seinen Lagersessel und starrt erneut ins Leere. Vermutlich fehlt ihm der Richter.

Bei der nachmittäglichen Siesta in meinem Zimmer lass ich dann so meine Gedanken schweifen. Lass meine Gedanken schweifen und komme schließlich zu dem Schluss, dass ich jetzt vielleicht doch einmal nach der Susi schauen muss. Schon um des lieben Friedens willen. Und natürlich, weil mich auch selber die Neugier quält. Und wenn die Neugier größer wird wie die Panik, sich zum Deppen zu machen, muss man handeln. So stehe ich auf und wandere schließlich der Susi entgegen.

Ich kann die kleine Pension, die ihrem Luca Toni gehört und in der sie jetzt den Putzlumpen schwingt, ziemlich schnell finden. Sie liegt ein bisschen bergauf, hat einen wunderbaren Seeblick und einen kleinen Garten. Irgendjemand hängt tonnenweise Bettwäsche auf kilometerlange Leinen. Leider kann ich nur den Schatten sehen, weil sich die Person jenseits der Laken befindet. Die Figur aber ist gut. Erstklassig, würd ich sogar sagen. Könnte das die Susi sein?

Es ist die Susi. Sie schnappt sich den leeren Wäschekorb vom Boden und wandert auf die Veranda zu. Danach nimmt sie ein Glas vom Tisch, trinkt einen Schluck, und der Wind bläst ihr die Haare aus der Stirn. Das schaut großartig aus. Jetzt tritt sie an ein Bügelbrett und bügelt. Die reinste Sklaverei hier, mein lieber Schwan!

Mir klingen dem Moratschek seine Worte im Ohr von wegen Mut und so. Und erst recht die vom Papa. Und die von der Gisela. Also fass ich mir ein Herz und geh hin.

»Hallo, Susi«, sag ich gleich wie ich die Treppen zur Veranda hochsteig.

Eine Zeit lang sagt sie gar nichts. Schaut mich nur an.

»Das wird aber auch höchste Zeit, dass du kommst«, sagt

sie schließlich ganz zärtlich und grinst. Hört aber nicht auf zu bügeln.

»Darf ich?«, frag ich und deute auf das Wasserglas, weil meine Kehle ganz ausgedörrt ist und mir jetzt direkt der Durst hochkommt.

Sie nickt.

Eine Weile sagen wir beide nichts. Sie bügelt, und ich schau sie an. Dann knarrt auf einmal die Terrassentür, und der Luca Toni erscheint mit freiem Oberkörper. Mit einem erstklassigen Oberkörper. Da kann dich schon direkt der Neid packen. Aber gut.

Er hat ein Hemd in der Hand und fuchtelt damit umeinander.

»Alora, was ist los, eh? Warum ist das Hemde nickt gebügelt?«, knurrt er sie an und wirft ihr das Teil entgegen. Die Susi hebt das Bügeleisen in die Höhe und drückt es dem Hausherrn auf den erstklassigen Oberkörper, dass die Brusthaare nur so qualmen.

»Bügel dir doch deine Scheißhemden selber«, sagt sie noch und verschwindet dann im Haus.

Aber ich glaub, das hört er gar nimmer. Weil er nämlich unter den Schmerzattacken zusammenfällt wie ein Soufflé, wenn man die Ofentür vorzeitig aufmacht. Was die Oma immer zur Weißglut bringt. Wobei man natürlich schon sagen muss, dass ein Soufflé von der Oma sogar dann noch gut schmeckt, wenn es zusammenfällt, keine Frage. Aber es schaut halt nicht mehr so gut aus, das ist klar. Und da ist sie eigen. Weil: wenn sie sich schon eine solche Mordsarbeit macht, soll's halt auch gut ausschauen. Ja.

Nein, was ich eigentlich sagen wollte, der Luca Toni schaut jetzt gar nicht gut aus, eher schlecht mit seinem Bügeleisenabdruck exakt zwischen den Warzen. Und riechen tut er auch nicht gut.

Ein paar Minuten später kommt die Susi mit gepackten Taschen zurück, und der blöde Italiener kommt wieder in die Senkrechte.

»Wo willst du hin, eh?«, schreit er sie an.

»Weg!«, schreit sie zurück. Und bis ich schau, hebt er den Arm und will ihr eine schmieren. Da hat er die Rechnung aber ohne den Franz gemacht. Ich hau ihm nämlich so dermaßen auf sein Bügeleisendreieck, und schon liegt er wieder. Die Susi steigt einfach über ihn drüber und wir machen uns von dannen.

»Puttana!«, schreit er noch hinter uns her. Was immer das auch heißen mag, es klingt nicht grade freundlich. Aber wir sind eh schon weg, und hinterher kann ich die Susi problemlos in meiner Pension einquartieren.

Natürlich gibt es ein Mords-Hurra, wie wir später auf dem Zeltplatz erscheinen. Und auch beim Abendessen ist die Susi der ungekrönte Mittelpunkt. Sitzt mittig zwischen dem Papa und der Oma und wird quasi beidseitig zerquetscht. Zerquetscht und totgequasselt. Der Papa textet sie voll, als wär er zuvor jahrelang kommunikationslos auf einer einsamen Insel festgehangen. Irgendwann sagt die Susi, dass sie müde ist und ins Bett will.

»Sie will ins Bett!«, sagt der Papa zu mir und zwinkert dramatisch mit den Augen.

Ich zuck mit den Schultern. Er kickt mir unterm Tisch gegen's Schienbein. Schließlich brechen wir auf, und ich bring zuerst die Oma und danach auch die Susi auf ihr Zimmer.

»Gute Nacht, Franz«, haucht sie vor ihrer Zimmertür.

»Gute Nacht, Susi. Frühstück morgen früh?«

»Gern. Aber nicht zu früh. Ich glaub, ich hab seit hundert Jahren nicht mehr ausgeschlafen.«

»Ich bin da, wenn du aufwachst.«

»Versprochen?«

»Versprochen!«

Sie lächelt und nickt.

Dann geh ich mal lieber.

»Du, Franz«, tönt es noch einmal.

Ich dreh mich um.

»Danke«, sagt sie leise und schließt die Tür.

Kapitel 19

Weil ich ziemlich früh im Bett war, bin ich erwartungsgemäß am nächsten Morgen ziemlich früh wach. Nach dem Duschen mach ich mich gleich mal auf den Weg zum Tabacchi, weil's dort die Tageszeitungen gibt. Auch die deutschen. Ich kauf einen ganzen Stapel und setz mich dann gemütlich auf der Terrasse nieder und fang an zu suchen. Ich suche und suche, werde aber nicht fündig. Keine einzige Zeile über die großartige Verhaftung vom Küstner. Noch nicht einmal in der ›Bild‹, obwohl die doch immer schon berichten, bevor überhaupt was passiert ist. Und wenn ich dran denke, was da alles drinstand, bei dem Küstner seiner Verurteilung. Und erst recht bei seiner Flucht. Ganze Seiten voll Berichte. Und jetzt, nach monatelanger Suche und dem großartigen Zugriff vom SEK, keine einzige Zeile? Das ist seltsam. Sehr sogar.

Nach der dritten Tasse Kaffee bin ich jeden winzigen Artikel durch, und die liebe Susi ist immer noch nicht wach. Die Oma kommt und fragt wegen Frühstück. Nein, sag ich, ich werd mich hier nicht wegbewegen, weil ich auf die Susi warte. Das versteht sie, und so hockt sie sich neben mich und beginnt ebenfalls zu lesen.

Mir ist langweilig. Also ruf ich mal in der PI Landshut an und frag nach, warum die Presse so gar nix berichtet. Bei einem Fall, der quasi bundesweit für immenses Aufsehen gesorgt hat.

»Worüber sollen sie denn berichten?«, fragt der Kollege, den ich in der Leitung hab.

»Worüber … worüber …? Ja, über den Küstner-Fall halt. Schließlich verhaftet man so einen ja nicht jeden Tag, oder?«

»Der Küstner ist verhaftet? Das ist ja ausgezeichnet! Wann ist das passiert?«

Mir explodiert fast meine Ohrmuschel. Alles um mich herum beginnt sich zu drehen. Ich versuche, an diesen Anruf zu denken, den der Moratschek gestern erhalten hat. Woran kann ich mich erinnern? Hat er erwähnt, mit wem er telefoniert hat? Einen Namen?

Verdammt!

Ich erinnere mich nur noch an das »Gott-sei-Dank«. Mehr hab ich im Grunde auch gar nicht gehört.

»Hallo … Eberhofer … bist du noch dran?«, fragt mein Gesprächspartner und bringt mich damit zurück in die Gegenwart.

»Hat irgend ein Kollege gestern mit dem Richter Moratschek telefoniert?«, muss ich dann wissen.

»Ja, woher soll ich das wissen. Wir sind hundertzwanzig Leute hier. Soll ich die jetzt alle einzeln danach fragen?«

»Genau das sollst du. Ich ruf in einer Stunde noch mal an, dann weißt du Bescheid«, sag ich und häng ein.

Danach ruf ich den Moratschek an. Ich lass es ungefähr eine Million Mal läuten, aber nix.

Seine Vorzimmerdame am Gericht sagt mir, sie hat keine Ahnung. Nicht die geringste. Hat nichts von ihm gehört oder gesehen. Und sie strickt seit Wochen Socken, weil sie ja praktisch keine Arbeit mehr hat, seitdem der Richter weg ist. Ich soll ihn aber schön grüßen, wenn ich ihn sehe.

Beim erneuten Anruf in der PI heißt es, beinahe alle Kollegen sind befragt worden, und keiner hat gestern mit dem Richter telefoniert oder mitbekommen, dass ein anderer mit ihm telefoniert hätte. Und der Küstner … der Küstner sei nach wie vor auf freiem Fuß. Aus.

Na bravo!

Wenn mich mein kriminalistischer Urinstinkt jetzt nicht völlig im Stich lässt, dann war es der hirnkranke Küstner höchstpersönlich, der den Anruf getätigt hat. Weil er ihn nämlich nicht mehr finden konnte, den Moratschek. Und um wieder an ihn ranzukommen, musste er ihn ja zuerst einmal heimlocken. Und was wär dazu besser geeignet, als die Nachricht zu verbreiten, dass der Psychopath sicher hinter Gittern sitzt. Mir dreht's direkt meinen Magen um.

Beim dritten Anruf in der PI fragt der Kollege:

»Du schon wieder, Eberhofer. Sollen wir vielleicht gleich eine Standleitung legen?«

»Nein«, sag ich. »Momentan würd's mir schon reichen, wenn mal ein Streifenwagen beim Moratschek daheim vorbeischauen könnte.«

»Ach, die Nummer schon wieder! Liegt etwa wieder ein Schweinskopf in seinem Bett? Oder hat ihm diesmal jemand eine Nachricht ins Blumenbeet gepinkelt?«

»Schick einfach einen Wagen hin, Arschloch«, sag ich und leg auf.

Weil alles nix hilft, pack ich meinen Kram ein und verstau ihn im Bus. Dann lausch ich an der Tür von der Susi. Mucksmäuschenstill. Und wenn man weiß, dass jemand hundert Jahre lang nicht mehr ausgeschlafen hat, trommelt man halt nicht einfach wie wild an die Tür, sondern verschwindet auf leisen Sohlen. Und genauso mach ich es auch.

Am Zeltplatz fängt die Oma gleich mal an, das Frühstück zu machen, und ich klopf derweil am Flötzinger seinem Wohnwagen. Ziemlich lange sogar. Endlich macht er auf, trägt ausschließlich Boxershorts in grün-weiß kariert und hat ein dümmliches Grinsen in der Visage.

»Wie lang bleibst du noch hier?«, frag ich gleich ohne Grußwort.

»Nicht mehr lang, wir werden jetzt dann zum Strand runtergehen«, sagt er und kratzt sich am Bauch. Widerlich.

»Ich mein, wie lang du überhaupt noch dableibst. Hier in Italien, mein ich.«

Er macht die Tür hinter sich zu und tritt die zwei Stufen zu mir runter.

»Die Mary kommt übermorgen mit den Kindern aus England zurück. Also heißt es wohl auch hier, die Zelte abbrechen«, flüstert er mir her.

»Übermorgen sagst du? Dann musst du die Oma und die Susi und den Papa mit heimnehmen. Ich muss nämlich dringend nach Deutschland zurück. Und zwar sofort. Rein dienstlich und somit ohne jede Begleitung, verstanden?«

Er nickt ein bisschen entgeistert, aber mehr Zeit für Erklärungen hab ich leider nicht.

Ich informier den Papa über meine Pläne.

»Und die Susi? Die willst du doch nicht etwa hier lassen, oder? Das kannst du ihr nicht antun, Franz. Nicht grad jetzt, wo ihr erst wieder zusammengefunden habt«, sagt der Papa und erhebt sich aus seinem Campingstuhl.

»Ja«, sag ich. »Dienst ist Dienst, und Susi ist Susi.«

Dann stellt er sich mit verschränkten Armen direkt vor die Fahrertür vom VW-Bus.

»Bist du deppert, oder was?«, frag ich ihn so.

»Du fährst hier nicht weg ohne die Susi. Keinen einzigen Millimeter. Vorher musst du mich abknallen. Ist das klar?«, knurrt er mich an.

»Der Moratschek ist in Gefahr«, sag ich noch so, und schon macht er den Weg frei und reißt mir die Autotür auf.

»Warum sagst du das nicht gleich? Komm schon, beeil dich. Brauchst du meine Hilfe?«, drängelt er mich in den Bus.

Ich schüttel den Kopf. Nein, das würd mir grad noch fehlen. Den alten Kiffer als Hilfssheriff. Ich hock mich hinters Lenkrad und fahr los.

Zweieinhalb Stunden später mach ich eine Pause, weil ich sowieso tanken muss und mir doch langsam der Magen knurrt. Es ist jetzt Mittagszeit, und der Rasthof ist bumsvoll. LKW-Fahrer, brüllende Kinder und Seniorenkaffeefahrten, so weit das Auge reicht. Von entspannter Essensatmosphäre keine Rede. Ich quetsch mich an einen Zehnertisch, wo ich noch ein Plätzchen ergattern kann, und esse meine Currywurst. Links und rechts von mir sabbern irgendwelche Rentner in ihr Pumuckl-Schnitzel oder schlürfen geräuschvoll am Radler. Mein Vis-à-vis kann ich zum Glück nicht sehen, weil er hinter einer Speisekarte lungert. Am Tisch nebenan schmeißt ein Hosenscheißer seinen Spezi um. Der Bub tobt. Die Mama tobt auch und wischt mit Unmengen von Tempos die Pfütze auf. Dann läutet mein Telefon.

»Ist der Moratschek schon außer Gefahr?«, hechelt der Papa in den Hörer.

»Nein«, sag ich. »Glaubst du, ich kann fliegen? Ich bin mal grad auf halber Höhe mit diesem alten Hobel.«

»Bist du etwa grad am Essen?«

»Wenn du gestattest. Ja, auch ich muss von Zeit zu Zeit Nahrung aufnehmen.«

»Aber nicht, wenn der Moratschek in Lebensgefahr schwebt«, schreit mir der Papa jetzt her.

Ich leg auf. Die Alten an meinem Tisch schauen alle zu mir her. Dann machen sie noch brav ein Bäuerchen, und schließlich treibt der Busfahrer seine Herde zusammen. Immerhin ist es noch ein gutes Stück bis nach Hildesheim, sagt er. Ich schieb mir die letzten Pommes in den Schlund, und dann mach auch ich mich wieder auf den Weg.

»Eberhofer!«, tönt es plötzlich hinter mir. Ich dreh mich

um und schau in die Runde. Kein bekanntes Gesicht weit und breit. Vermutlich hab ich mich verhört. Wobei ich schon sagen muss, dass mir diese Stimme irgendwoher bekannt vorkommt. Ja, wirklich. Aber wie gesagt …

Moment mal.

Ich geh zu meinem Platz zurück und greife nach der Speisekarte, die mein Tischnachbar von soeben noch immer eifrig studiert.

»Rudi Birkenberger, ja, das war klar. Kein anderer Mensch auf diesem Planeten liest so lang in der Speisekarte. Was treibt dich hierher?«, sag ich und setz mich wieder nieder.

Der Rudi grinst. Dann erzählt er, dass er grad auf dem Heimweg ist. Von einem Riesenauftrag. Zwei Wochen lang hätte er einen Typen beschattet, der es mit seiner Schwiegertochter treibt. Die zwei waren so dermaßen vorsichtig, dass es tatsächlich gar nicht so einfach war. Am Ende aber hat er sie dann freilich doch noch erwischt, der Rudi. Ja, so erzählt er das alles. Danach aber bin ich an der Reihe. Und ich berichte ihm haarklein von den Vorfällen der letzten Zeit und natürlich von meinem Verdacht.

»Ja, und warum hockst du dann noch hier rum, wenn der arme Moratschek womöglich in der Hand von diesem Irren ist?«, will er wissen.

Und natürlich hat er recht. Also verabschieden wir uns, und ich mach mich wieder auf den Weg.

Etwa zwei Stunden später läutet mein Telefon, und es ist – ja, wie könnt es anders sein – natürlich der Birkenberger, der dran ist.

»Du, Franz«, sagt er. »Ich steh grad exakt gegenüber vom Moratschek seinem Haus. Wie lang brauchst du mit deinem historischen Vehikel ungefähr noch, bis du da bist?«

Ich glaub es nicht!

»Kannst du irgendwas erkennen? Ist jemand im Haus?«, frag ich erst mal.

»Nein, erkennen kann ich nichts. Das klappt immer erst, wenn's draußen dunkel wird. Soll ich mal läuten, oder was?«

»Nein, warte, bis ich da bin. Ich schätz mal so eine knappe Stunde noch. Behalt derweil das Haus im Auge.«

Ich park den VW-Bus eine Querstraße davor und mach mich zu Fuß zum juristischen Domizil auf. Den Rudi kann ich gleich gar nicht finden, weil er sich mitsamt seinem Auto in einem Gebüsch unsichtbar gemacht hat. Astreine Deckung praktisch. Er sitzt mit einem Fernglas im Wagen und hört auch nicht zum Durchstarren auf, wie ich mich in den Beifahrersitz hocke.

»Da ist definitiv jemand drin«, sagt er. »Und es ist nicht der Moratschek, fürchte ich. Zumindest nicht alleine.«

»Wie kommst du darauf?«

»Weil ab und zu jemand ganz verstohlen aus dem Fenster schaut. Und ich glaub nicht, dass der Richter auf diese Art und Weise seinen eigenen Garten betrachtet.«

»Oder aber, er ist sehr wohl allein da drin und hat vielmehr Angst, dass die Gefahr irgendwo hier draußen lauert.«

Der Rudi nimmt sein Fernglas weg und schaut mich an.

»Korrekt!«, sagt er, und dann gafft er weiter.

»Und wie finden wir das raus?«, frag ich und krieg keine Antwort. Ehrlich gesagt, fällt mir aber leider auch nix Gescheites ein. Was aber momentan wurst ist, weil eh grad mein Telefon läutet.

»Und?«, fragt der Papa.

»Herrschaft, Eberhofer!«, sag ich.

Der Rudi schaut mich an.

»Führst du jetzt Selbstgespräche?«, fragt er.

»Also, red schon! Wie geht es dem Moratschek?«, nervt der Papa weiter.

»Ich weiß es nicht und werd es wahrscheinlich auch nicht rausfinden, wenn du mich ständig störst«, sag ich und häng ein.

Dann ruf ich gleich noch mal beim Moratschek an. Vergeblich.

Beim erneuten Anruf in der PI ist jetzt ein anderer Kollege dran, der weiß aber auch Bescheid. Weil sich nämlich angeblich die ganze Inspektion schon auf die Schenkel haut vor lauter Lachen. Schweinskopf und so. Das Arschloch sagt weiter, ja, es ist ein Streifenwagen vorbeigefahren, aber nein, so, wie's ausschaut, ist keiner daheim.

Danke für die großartige Hilfe, sag ich und häng ein.

Dann sitzen wir zwei ein bisschen dämlich im Auto rum, starren das Haus an und warten auf das Eintreffen der Dämmerung. Ziemlich lange, würd ich sogar sagen. Einmal bewegt sich tatsächlich der Vorhang, aber es ist unmöglich, den Verursacher ausfindig zu machen.

Ewig tut sich nix. Rein gar nix.

Kapitel 20

Auf einmal fährt ein Taxi vor und hält an. Die Tür öffnet sich, und die Frau Moratschek entsteigt. Das ist ja allerhand. Und es bedarf einer Maßnahme. Und zwar umgehend. Also steig ich aus und schleiche ihr möglichst unauffällig entgegen. Auf den ersten Blick erkennt sie mich gar nicht oder weiß zumindest nicht so genau, wo sie mich verankern soll, aber schließlich: »Ach ja, Sie sind doch der Polizist, der mit meinem Mann in Bad Wörishofen war. Das stimmt doch, oder? Wie war noch gleich Ihr Name?«

Sie sagt das alles, während ich sie sanft, aber vehement in das Gebüsch zerre.

»Was machen Sie denn da, um Gottes willen?«, fragt sie, und ihr Unwohlsein ist deutlich zu spüren.

»Bleiben Sie in Deckung!«, sag ich und laufe schnell zurück zur Straße. Ich schnapp mir ihren Koffer und bringe auch den aus dem Schussfeld. Ein bisschen außer Atem und von dem ganzen Geäst zerzaust, steh ich schließlich vor ihr und mach wohl keinen sehr vertrauenswürdigen Eindruck. Der Rudi mit seinem Fernglas vermutlich noch viel weniger. Sie fängt an zu schreien. Das hat grade noch gefehlt. Ich halt ihr den Mund zu und öffne die Autotür. Schubs sie auf die Rückbank und hock mich daneben.

»Ich nehm jetzt die Hand wieder weg«, sag ich. »Und Sie hören auf zu schreien, verstanden! Es geht um Leben und Tod. Ihr Gatte ist vermutlich in größter Gefahr.«

Sie reißt die Augen auf und nickt ganz zaghaft. Ich entlass ihre Schnute wieder in die Freiheit, und sie schweigt.

Na gut, so richtig schweigen tut sie nicht, aber jedenfalls schreit sie auch nicht mehr. Es ist mehr ein Wimmern, das ihrer Kehle entweicht.

»Was ist denn mit meinem Mann, Herr …«

»Eberhofer«, sag ich. »Und das ist mein Kollege Birkenberger.«

Der Rudi nimmt eine Hand vom Fernglas und tippt sich an die Stirn. Die Frau Moratschek nickt in den Rückspiegel.

In knappen Worten erklär ich ihr die Situation und dass der Küstner womöglich da im Haus drin ist und ihren Gatten, na, sagen wir mal im besten Fall, gefangen hält. Wie's der armen Frau jetzt schlecht wird, kann man direkt sehen. Sie greift nach meiner Hand.

»Er hat mich angerufen, wie er auf der Heimfahrt von Italien war«, sagt sie ganz leise. »Ich soll doch endlich heimkommen, hat er gesagt. Ich wär jetzt schon so lang bei meiner Schwester, und er vermisst mich so arg.«

Er vermisst sie so arg. Das hat er aber gut überspielt, wie er beim Papa hauste die ganze Zeit, das muss ich schon sagen.

»Ich hab mich so gefreut«, sagt sie weiter und schnäuzt sich in ein Taschentuch. »Wo ich jetzt so lange Strohwitwe war, wollte ich doch heut einen besonders schönen Abend mit ihm machen. Eine Pizza bestellen und einen Wein trinken. Mit Kerzenschein.«

»Ja, und damit aus der Strohwitwe keine Witwe wird, sollten wir mal langsam was machen«, sag ich so.

»Sie wollten eine Pizza bestellen?«, mischt sich der Rudi ein.

»Ja, eine Pizza. Und dazu ein Glas Wein«, sagt sie und schnäuzt sich wieder.

»Mit Kerzenschein«, sag ich wegen Vervollständigung und schau aus dem Fenster.

»Dann sollten Sie das auch tun, gnä' Frau«, sagt der Rudi weiter. Alle vier Augen hinten auf der Rückbank starren ihn an.

»Mal angenommen, Sie gehen jetzt einfach da rein, genau so, wie Sie's vorgehabt haben, was würde passieren? Der Küstner wird Ihnen nichts tun, dem sind doch zwei Geiseln viel lieber als eine. Und dann bestellen Sie halt eine Pizza. Weil ja nichts Essbares im Haus ist. War ja wochenlang keiner da, gell.«

»Worauf willst du hinaus?«, muss ich ihn fragen. »Du willst doch die arme Frau hier nicht allen Ernstes auch noch in Gefahr bringen?«

»Warten Sie mal, Herr Eberhofer. Die Idee ist gar nicht so schlecht. Der Küstner wird mir nichts tun. Niemals. Der kennt mich ja. Und er mag mich auch. Wenn er jemandem was tun will, dann meinem Mann. Aber der ist ja eh schon in Gefahr.«

»Ich glaub's nicht! Seid ihr alle übergeschnappt? Und, mal angenommen, die Frau Moratschek geht da jetzt rein, und, mal angenommen, der Küstner tut ihr wirklich nix, und, mal angenommen, das mit der Pizza funktioniert, wo ist dann die Pointe? Dann hocken sie alle drei da drüben drin und futtern Pizza, oder was?«

»Wir machen K.-o.-Tropfen auf die Pizza, das ist doch klar«, sagt der Rudi, nimmt das Fernglas runter und dreht sich zu uns um.

»Und woher sollen wir die bitte schön nehmen?«, frag ich so.

Er öffnet sein Handschuhfach und holt ein Fläschchen heraus. Damit wedelt er dann rum.

»Du hast K.-o.-Tropfen dabei?«

Ich bin fassungslos.

»Ja, was dagegen?«

»Wofür brauchst du die?«

»Für den Notfall. Ich hab einen sehr gefährlichen Job, mein Freund. Da muss man auf alle Eventualitäten vorbereitet sein.«

Für alle Eventualitäten, also. Ich muss lachen.

»Sei ehrlich, du hast sie, damit du dir deine Weiber gefügig machen kannst.«

»Na, hör mal! Das hab ich doch gar nicht nötig!«

»Ach. Wann hast denn du das letzte Mal eine abgekriegt, jetzt sag schon. Auf freiwilliger Basis, mein ich.«

Er schaut wieder durch sein Fernglas.

»Wie geht's eigentlich deiner Susi?«, fragt er dann mit süffisantem Unterton.

»Meine Herren, bitte. Die Lage ist doch wirklich ernst. Herr Birkenberger, was haben Sie gemeint mit den Tropfen?«, fragt meine Sitznachbarin und beugt sich weit nach vorne.

»Sie gehen jetzt da rein, gnä' Frau, begrüßen Ihren Mann und womöglich seinen Peiniger und bestellen dann ganz einfach eine Pizza. Genau, wie Sie's vorhatten. Wie gesagt, es ist nichts im Haus, und wie wir wissen, wurde die letzten Stunden auch nichts angeliefert. Die Chancen stehen also denkbar gut, dass der Küstner Hunger hat. Und mein Kollege und ich, wir passen dann den Pizzaboten ab und beträufeln die Pizzen mit K.-o.-Tropfen. Zehn Minuten später ist er außer Gefecht, jede Wette.«

»Mein Mann und ich aber auch«, sagt die arme Frau.

»Das wird sich kaum verhindern lassen. Sie müssen langsam essen, verstanden? Essen müssen Sie aber schon, sonst merkt er was.«

Eine Weile sagt keiner was. Jeder hängt irgendwie seinen eigenen Gedanken nach. Dann sagt die Frau Moratschek plötzlich und wild entschlossen: »So machen wir es!«

Mir ist nicht gut dabei. Nein, gar nicht. Da ich aber keinen Alternativplan parat hab, geb ich halt nach.

Nachdem die Richtergattin samt Koffer hinter ihrer Haustür verschwunden ist, wird es mir schlecht, so was kann man gar nicht erzählen. Trotzdem quäl ich mich aus dem Auto und mach mich auf den Weg, den Pizzaboten abzufangen, sollte er tatsächlich kommen. Der Rudi übernimmt die andere Straßenseite. Dann läutet mein Telefon.

»Wenn du mir wieder einhängst, ist was geboten, mein Freund!«, knurrt der Papa.

»Papa, du gefährdest wirklich das Leben vom Richter mit deinen ständigen Anrufen. Wie soll ich ihn denn befreien, wenn ich pausenlos mit dir telefoniere?«

»Ist er noch am Leben?«, wispert er noch.

»So, wie's ausschaut, schon«, kann ich noch sagen, dann knackt es in der Leitung.

Die Dämmerung und der Pizzabote kommen direkt gleichzeitig. Und er kommt auf meiner Straßenseite. Ich zeig ihm meinen Dienstausweis, der Rudi nimmt ihm die Mütze vom Kopf. Die setzt er sich dann selber auf und sagt:

»Ich mach die Übergabe. Wir wollen schließlich nicht noch jemanden in Gefahr bringen.«

Wir öffnen nacheinander die Pizzaschachteln, und dabei verschafft uns der Zufall einen ungeahnten Vorteil. Und zwar ist eine der Pizzen mit Meeresfrüchten belegt, fingerdick sogar. Ja, da lassen sie sich nix nachsagen, sagt der Bote. Nur nicht am Belag sparen! Da hat er natürlich recht. Weil es halt schon ziemlich ärgerlich ist, wenn du so einen dürren Teig abkriegst mit fast ohne was drauf, gell. Und dafür noch einen Haufen Geld bezahlst. Womöglich noch stundenlang warten musst, und dann ist sie auch schon nicht mehr ganz warm, die Pizza. Ja, das ist halt ärgerlich. Diese Pizza ist aber noch sauwarm und eben fingerdick belegt. Und zwar mit Meeresfrüchten. Und wie wir ja bereits wissen, kriegt der Moratschek samt Gattin eitrige Wimmerl von Meeresfrüchten. Also muss es wohl die Pizza vom Küstner sein. Und auf die hauen wir dann so viel K.-o.-Tropfen, dass der Tintenfisch direkt wieder das Schwimmen kriegt. Der Rudi schnappt sich die Schachteln und macht sich auf den Weg. Macht sich auf den Weg und läutet an der Haustür vom ehrenwerten Herrn Richter.

Es dauert ein bisschen, ehe aufgemacht wird, dann aber steht die Frau Moratschek im Türrahmen und tauscht Pizzaschachteln gegen Bares. Sie ist nervös, das kann ich sogar aus meinem Gebüsch heraus sehen, und vermag den Rudi noch nicht einmal anzuschauen.

Der Pizzabote kriegt Geld und Mütze und düst ab. Mich drückt langsam mal die Blase, und so entleer ich sie ein paar Schritte weiter. Dann kommt der Rudi zum Wagen zurück, und es tut sich erst einmal gar nichts mehr. Der Sekundenzeiger auf meiner Uhr dreht sich so dermaßen langsam, dass man es glatt für Arbeitsverweigerung halten könnte. Wenn ich nicht grad auf die Uhr starre, starr ich aufs Haus. Der Rudi genauso. Natürlich mit dem Fernglas. Minutenlang passiert nichts. Rein gar nichts. Plötzlich aber wird die hintere Autotür aufgerissen, und ich spür so was wie kalten Stahl im Genick. Es ist der Küstner, der jetzt auf der Rückbank lungert und in den Rückspiegel grinst. Hält seine Pizzaschachtel in der einen Hand und einen Revolver in der anderen. Eine Smith & Wesson. Wunderbare Waffe. Hätt ich immer gerne gehabt.

»Na, alles gut im Blick?«, fragt er, öffnet die Schachtel und isst ein Stück Pizza. Der Rudi nimmt das Fernglas runter und dreht sich langsam um.

»Nein, nein, nein, Freundchen. Rübe schön vorne lassen, kapiert!«, sagt der Küstner kauenderweise.

Der Rudi gehorcht.

»Wer ist dieses Arschloch?«, fragt er dann an mich gerichtet und fuchtelt wie wild mit der Waffe rum.

»Das ist mein Kollege Birkenberger«, sag ich so.

»Das ist mein Kollege Birkenberger«, äfft er mich nach. Der Rudi nickt mit dem Kopf. Schaut zwar ziemlich albern aus, er tut es aber trotzdem.

»Ist der Kollege Birkenberger denn auch so scharf auf russisches Roulette wie der Herr Kommissar?«, fragt dann der alte Psycho.

»Nein!«, sagen wir direkt gleichzeitig.

»Nicht? Ja, dann müssen wir wohl mit dir anfangen, Eberhofer«, spricht's, lässt die Trommel sausen und legt mir die Knarre genau an den Hinterkopf.

»Erinnern Sie sich noch, Herr Kommissar? Was für einen Spaß wir damals hatten mit dem russischen Roulette. An jedem verdammten Parkplatz. Wir haben uns königlich amüsiert, nicht wahr?«

Dann drückt er ab.

Klack.

Und jetzt bin ich direkt froh, dass ich erstens überlebe und zweitens grad beim Bieseln war.

Der Küstner lacht.

Und beißt in seine Pizza.

Und lässt die Trommel sausen.

»So, Kollege Birkenberger, du hast ja gesehen, es tut gar nicht weh«, sagt er und drückt ab. Genau über dem rechten Ohr vom Rudi.

Klack.

Dem stehen die Schweißperlen auf seiner Stirn, das kann man gar nicht erzählen. Aber auch er überlebt.

»Sie sollten Ihre Pizza essen, bevor sie noch kalt wird«, sag ich, weil wir bei diesem Essens-Tempo früher oder später abgeknallt werden.

Der Küstner beißt in seine Pizza. Aber nicht, ohne die Trommel ein weiteres Mal sausen zu lassen. Diesmal bin ich wieder an der Reihe. Mich kann er damit aber nicht sonderlich schockieren, weil ich mittlerweile glaub, dass da gar keine Patrone drin ist. Reine Panikmache, würd ich einmal sagen.

Vermutlich kann er meinen Gesichtsausdruck deuten. Jedenfalls nimmt er die Waffe runter und drückt die Trommel heraus. Es ist nicht eine Patrone drin. Es sind zwei. Vier Kammern sind leer.

Die Trommel saust.

Die Waffe berührt meinen Hinterkopf.

Und ich krieg das Schreien.

»Was haben Sie mit uns vor, verdammt?«, brüll ich ihn an.

»Schreien Sie mich nicht so an, mein Gott!«, wimmert er plötzlich und hält sich die Ohren zu. »Sie dürfen mich nicht so anschreien. Sie sind nicht meine Mutter.«

Nein, die bin ich nicht. Gott bewahre!

»Also, los jetzt, was haben Sie eigentlich mit uns vor?«, frag ich noch mal, und dieses Mal leiser.

Er lacht.

»Was ich mit euch vorhabe? Herrjemine! Ja, ratet doch mal. Eine bessere Gelegenheit, euch beide aus dem Weg zu räumen, wird sich so schnell nicht wieder bieten. Besonders nicht, wo ich morgen eh schon über alle Berge bin. Über alle Berge, bei den sieben Zwergen. Hähä. Vorher aber brauch ich noch ein Säckchen voll Gold, hähä.«

Bei den sieben Zwergen. Ja, das war klar.

»Sie wollen uns abknallen?«, will ich jetzt wissen.

»Oh, der Herr Kommissar wird nervös. Genau wie der Herr Richter. Ganz genau so. Was seid ihr doch nur für Weicheier, ihr Herrscher über Recht und Ordnung ... hähähä ... erbärmlich. Keine Mannsbilder, kein Rückgrat. Winselnde Weiber. Widerlich.«

»Was haben Sie mit den Moratscheks gemacht?«

»Die Moratscheks ... die Moratscheks hängen momentan noch mit Handschellen am Heizkörper und essen ihre Pizza«, sagt er und nimmt einen Bissen.

»Das ist schön«, sag ich und bin ein bisschen beruhigt. »Ist sie gut? Die Pizza, mein ich?«

Der Küstner nickt. Er nickt und nimmt einen gewaltigen Bissen. Dann noch einen. Na endlich!

»Sehr gut sogar, wirklich. Und fingerdick belegt. Das hat man ja selten«, sagt er und beißt erneut hinein.

»Ja, das hat man wirklich selten. Meistens ist der Belag ja kaum zu finden. Besonders, wenn ...«

»Schnauze!«, unterbricht er mich. Er fährt sich mit dem Handrücken über den Mund und legt die Schachtel beiseite. Aus den Augenwinkeln heraus kann ich sehen, dass er etwa die Hälfte gegessen hat.

»Wo waren wir stehen geblieben?«, fragt er und dreht ein weiteres Mal genussvoll an der Trommel.

»Geht es ihnen gut, den Moratscheks?«, will ich noch wissen.

»Hervorragend geht's denen. Kein Haar gekrümmt. Sind heute noch viel zu wertvoll. Erst morgen ... morgen ... Heute back ich, morgen brau ich, übermorgen hol ich mir der Königin ihr Kind. Hähähä. Oder den Moratschek. Oder sein Weib.«

Jesus Christus! Jetzt geht's wohl dahin mit den letzten Gehirnzellen.

Die Trommel saust.

Die Waffe landet an meiner Schläfe.

»Bitte!«, wimmert plötzlich der Rudi aus seinem Sitz heraus. Den hatte ich schon komplett vergessen.

»Ach, der Kollege Birkenberger möchte zuerst?«, fragt der Küstner und lacht.

Der Rudi schüttelt kaum merklich den Kopf.

Der Küstner wechselt die Waffe von meiner Schläfe an die vom Rudi. Dann drückt er ab.

Klack.

Der Rudi winselt.

Bilder meiner Kindheit ziehen an mir vorüber. Mein erster Schultag, wo der Leopold Zuckungen gekriegt hat, weil er keine Schultüte hatte. Der Papa daraufhin losgerannt ist, um ihm eine zu besorgen. Die heißen Nachmittage barfuß mit der Oma im Erdbeeracker. Die heißen Nachmittage mit der Susi am Badeweiher. Werde ich die Susi je wiedersehen? Oder die Oma? Werde ich ihren hammermäßigen Kartoffelsalat noch mal essen können?

Zurück in der Gegenwart kommt mir jetzt direkt der Hunger hoch.

»Wenn Sie die Pizza nicht mehr mögen, dann geben Sie mir doch ein Stück«, sag ich aus reiner Verzweiflung heraus. »Jeder zum Tode Verurteilte hat das Recht auf eine Henkersmahlzeit.«

»Das würde dir so passen, Freundchen«, sagt der arme Irre und beißt zu, als gäb es kein Morgen mehr.

Dann muss er rülpsen.

»Ich glaub, mir wird's schlecht«, sagt er noch.

Dann kippt er zur Seite.

Nachdem der Rudi und ich unseren Weinanfall überstanden haben, schleppen wir den Küstner samt Pizzaschachtel zum Moratschek-Haus rüber. Ja, gut, zuerst muss ich den

Rudi davon abhalten, dem Küstner die Eier abzuschießen. Aber dann schleppen wir ihn hinüber. Oder sagen wir einmal, wir zerren ihn. An seinen Beinen. Dass der Kopf über das Kopfsteinpflaster hüpft, merkt der Küstner ja nicht. Der ist ja betäubt. In seiner Hosentasche finden wir den Schlüssel zum Haus. Wir öffnen die Tür, gehen rein und hocken ihn erst mal in einen Sessel. Dann befreien wir das völlig verstörte Ehepaar von seiner Heizkörperfessel.

Der Küstner hockt wie verreckt im Sessel und schläft. Vor ihm steht seine Pizzaschachtel, zur Hälfte geleert. Die Frau Moratschek holt einen Fotoapparat. Dann machen wir ein paar erstklassige Fotos. Wie wir alle um den Küstner herumstehen. Vor ihm, hinter ihm, neben ihm. Wie wir der Reihe nach auf seinem Schoß sitzen. Wir malen ihm einen Hitlerbart. Und wir frisieren ihm eine Punkfrisur. Das ist lustig. Dann ruf ich die PI Landshut an und sag, sie sollen kommen. Alle, und zwar sofort. So geschieht es auch.

»Ja, da legst dich nieder!«, sagt der Kollege von vorhin, der sich vor Lachen auf die Schenkel haut. Jetzt schaut er aber ziemlich blöd. »Wie sieht der denn aus?«

»Wie halt Psychopathen so ausschauen, gell«, sag ich so. Er blickt sich um.

»Ah, eine Pizza! Hervorragend. Ich hab noch gar nichts gegessen. Darf ich?«, fragt er und deutet auf dem Küstner seine Schachtel.

»Nur zu!«, sag ich. Zehn Minuten später schläft auch er wie ein Kleinkind.

»Scheint ziemlich anstrengend zu sein bei euch«, sag ich zu seinem Kameraden. »Oder ist er womöglich besoffen?«

»Erlaube mal«, sagt der dann.

Nein, der Franz erlaubt nicht. Höchstens, dass sie den Küstner einpacken und mitnehmen. Und den besoffenen Polizisten gleich dazu. Weil nämlich jetzt Feierabend ist.

Wie die Mörder- und Gendarmtruppe von dannen zieht, trinken wir erst mal ein Schnapserl auf den Schrecken.

»Was hat er eigentlich vorgehabt, der Küstner? Wollte er mit Ihnen eine WG gründen?«, fragt der Rudi und grinst. Offenbar hat er seinen Humor wiedergefunden. Seine Gesichtsfarbe jedenfalls kommt ganz allmählich zurück.

Der Moratschek grinst gar nicht.

»Ich war in Lebensgefahr, Freundchen«, sagt er mit finsterem Gesicht. Dabei fällt mir der Papa ein.

»Ach, sind S' doch so gut und rufen mal kurz den Papa an«, sag ich und reich ihm mein Telefon rüber. »Der macht sich große Sorgen.«

Das macht er sofort.

»Eberhofer!«, ruft er in den Hörer. »Ich war in größter Gefahr.«

Und dann erfahren wir im Laufe des Telefongesprächs, dass der Küstner an das Geld ranwollte. An das Geld der Moratscheks. Und dass er vorhatte, morgen in aller Herrgottsfrüh mit dem Richter zur Sparkasse zu wandern, immer den Colt im juristischen Rücken, und dort die Konten zu leeren. Vielleicht würde er ihn danach sogar am Leben lassen, hat er immer wieder gesagt. Aber eben nur vielleicht. Ganz besonders gefreut hat er sich dann, wie auch noch die Ehefrau in der Räuberhöhle eingetroffen ist. Weil: jetzt hat er ja noch nicht einmal selber zur Sparkasse gehen müssen. Jetzt nämlich konnte er ganz bequem vom richterlichen Sofa aus auf ihr Eintreffen samt seiner Beute warten. Immer den Gatten im Fadenkreuz, versteht sich. Dass er und seine liebe Frau diese Geschichte nicht überlebt hätten, daran gab's überhaupt keine Zweifel. Aber was hätten sie tun sollen? Der Küstner saß einfach am längeren Hebel.

Da haben wir ihm aber einen Strich durch die hirnkranke Rechnung gemacht. Nix war's von wegen Raub und Totschlag. So erzählt er das, der Richter. Dann macht er eine Pause.

»Ja«, sagt er schließlich und macht noch mal eine Pause. Macht eine Pause und schaut mich an. Ziemlich eindringlich sogar. Danach sagt er:

»Ich Sie auch, Eberhofer! Ich Sie auch!«

»Jetzt ist aber Schluss!«, sag ich dann und nehm ihm das Telefon weg. »Das kostet ja ein Vermögen bis nach Italien.« Der Moratschek schnäuzt sich.

Weil die Situation grad ein bisschen rührselig ist und vielleicht auch ein bisschen peinlich, verabschieden wir uns lieber und machen uns auf den Weg.

»Hat er ihm grad eine Liebeserklärung gemacht, oder was war das?«, fragt mich der Rudi auf dem Weg zum Auto.

Ich zuck mit den Schultern, hatte jedoch den gleichen Eindruck.

»Gehen wir noch zum Essen? Um den Italienaufenthalt ausklingen zu lassen, mein ich.«

»Jawoll, Schatz!«, sagt der Rudi und legt den Arm um meine Schulter.

»Erstklassige Nudeln«, sagt er dann beim Essen.

»Butterweich, fast schon ein bisschen batzig. Ein Traum. Die Italiener immer mit ihrem al dente. Alles muss al dente sein. Wofür denn? Wenn ich was zum Beißen haben will, bestell ich mir eine Schweinshaxen.«

Nach den erstklassigen Nudeln bestellen wir uns noch ein erstklassiges Tiramisu. Dann verabschieden wir uns.

Kapitel 21

Wie ich heimkomm, schlafen natürlich alle den Schlaf der Gerechten, und so hau ich mich aufs Kanapee und mach es ebenso. Am nächsten Tag in der Früh komm ich in die Küche, und der Leopold frühstückt mitsamt der Mischpoke. Der Ludwig freut sich, wie er mich sieht, wenn auch nicht ganz so, wie ich es gern hätte. Er liegt neben dem Leopold seinen Haxen und wedelt mit dem Schwanz. Das ist alles. Dafür freut sich die Sushi umso mehr. Sie sitzt in ihrem Hochstuhl und streckt mir die Arme entgegen.

»Onkel Franz«, ruft sie, und mich haut's fast um. Na gut, es ist mehr ein »Ogiwans«, aber immerhin. Ich nehm sie auf den Arm, und sie klatscht mir die Hände ins Gesicht.

»Sie hat Onkel Franz gesagt, das ist ja unglaublich«, sag ich so.

»Das hat sie von mir gelernt«, sagt die Panida und holt ein weiteres Gedeck aus dem Schrank. Dann schenkt sie mir einen Kaffee ein.

»War's nicht so schön in Italien, dass du schon wieder zurück bist?«, fragt der Leopold.

»Großartig war's in Italien. Einfach großartig«, sag ich. »Es waren mehr berufliche Gründe, die mich zum Heimfahren gezwungen haben.«

Ich halbier eine Breze und streich ganz dick Butter hinein. Der erste Biss – ein Wahnsinn.

»Tzzz«, macht der Leopold. »Berufliche Gründe, ich glaub's gleich. Hast du einem Italiener vielleicht einen Strafzettel verpasst?«

Aber auf so was geb ich gar keine Antwort. Nullkommanull. Das trifft ihn am meisten. Dann bringt er sein Geschirr zur Spüle und nimmt mir das Kind aus dem Arm. Sie fängt sofort an zu weinen. Ja, der liebe Gott sorgt für uns alle.

Ich dreh dann erst mal mit dem Ludwig eine Runde. Wir brauchen einseinundzwanzig dafür. Was, glaub ich, daran liegt, dass er nicht wie sonst fröhlich vor mir herläuft, sondern eher wie ein begossener Pudel hinter mir. Mit eingezogenem Schwanz und hängendem Schädel. Quasi nachtragend bis zum Gehtnichtmehr. Das dauert jetzt wahrscheinlich wieder Wochen, bis er mir meinen Italientrip verziehen hat.

Danach fahr ich erst mal ins Büro und treff schon im Gang auf den Bürgermeister.

»Na, was machen die Termiten?«, frag ich gleich, wie ich ihn seh.

»Eberhofer, schön, dass sie wieder da sind, gell. Wir haben die wunderbare Nachricht ja schon erhalten.«

Was für eine wunderbare Nachricht meint er genau?

»Was für eine wunderbare Nachricht meinen Sie jetzt genau?«, frag ich so auf dem Weg zur Kaffeemaschine.

Er trippelt neben mir her.

»Ja, die von der Susi halt. Dass sie dafür gesorgt haben, dass sie diesen Schlawiner verlässt und wieder heimkommt zu uns, wo sie hingehört. Das ist doch einfach wunderbar ... Und ... äh ... wo ist sie eigentlich?«

»Die Susi?«, frag ich genau wie ich mir den Kaffee einschenk.

Er nickt.

»Ja, in Italien halt«, sag ich und rühr in meiner Tasse.

»Sie haben Sie nicht mitgebracht?«

Sein Tonfall geht jetzt leicht rein ins Hysterische.

»Ja, bin ich ein Begleitservice, oder was? Vielleicht hab ich ja auch rein zufällig noch einen Beruf nebenbei. Apropos Beruf, was ist jetzt mit den Termiten?«

Dann reißt er mir meine Kaffeetasse aus der Hand und schreit: »Bevor die Susi hier nicht wieder aufkreuzt, ist ihr Büro gesperrt, verstanden? Wegen dringender Renovierungsarbeiten. Termiten, so weit das Auge überhaupt reicht«, sagt er und schiebt mich zur Tür hinaus.

Ja, geht's noch!

Zum Glück trudeln am nächsten Vormittag schon die Heimkehrer ein. Der Flötzinger fährt in den Hof ein, und die Oma und der Papa entsteigen dem Installateurwagen mit knirschenden Knochen und biegen sich erst einmal durch. Ich hol den Gorilla von der Rückbank, und daneben sitzt dann die Susi.

»Willst du nicht aussteigen?«, frag ich sie.

Sie schüttelt den Kopf.

»Du hast versprochen, dass du da bist, wenn ich aufwach«, sagt sie ganz traurig.

»Aber Susi. Es ist doch um Leben und Tod gegangen. Hat dir das der Papa nicht gesagt?«, frag ich sie jetzt.

»Es ist immer so, Franz. Es geht immer um irgendwas anderes. Meinetwegen auch um Leben und Tod. Aber nie geht es um mein Leben. Nie!«, sagt sie und macht die Autotür zu. Ich steh ziemlich dämlich mit einem menschgroßen Gorilla zwischen einigen Koffern rum, und der Flötzinger steigt wieder ein und fährt ab. Der Ludwig knurrt den Affen an.

Dann kommt der Leopold mit der Sushi am Arm in den Hof raus.

»Obba!«, ruft sie, wie sie den Papa sieht, und der freut sich. Dann aber sieht sie den Gorilla.

»Babba!«, ruft sie ganz fröhlich und streckt die kleinen Ärmchen danach aus.

»Da schau her, Papa kann sie jetzt auch schon sagen«, ruf ich zum Leopold rüber und muss grinsen. Der Zwerg Nase wackelt daher, schmeißt sich mit ihrem winzigen Körper dem Affen entgegen und schmiegt sich hinein. Der Ludwig dreht sich ab. Dreht sich ab und geht knurrend zur Saustalltür. Dort legt er sich davor. Um zu verhindern, dass Konkurrenz einzieht ins eigene Haus, vermute ich mal.

Dann muss die Oma dringend zum Simmerl. Weil sie was einkaufen will. Schließlich muss heut was gekocht werden, sagt sie. Weil sie den Hals voll hat von dem ganzen italienischen Fraß. Bratwürstl, zwei Dutzend Paar und drei Pfund Kraut. Dazu ein paar Roggenschuberl. Einwandfreie Sache. Wir nehmen auch noch Senf dazu, weil: sicher ist sicher. Nicht, dass ausgerechnet der noch ausgeht. Das wär ja ein Jammer.

»Hast jetzt deine Metzgerei wieder fest im Griff?«, frag ich den Simmerl beim Zahlen.

»Worauf du deinen Arsch verwetten kannst«, sagt er und reicht mir mein Wechselgeld.

»Und der Max? Was hast du mit deinem Max gemacht?«, bohr ich nach.

»Verwurstelt. Mit Haut und Haaren«, sagt der Simmerl und langt mir meine Tüte übern Tresen. »Und lasst es euch recht gut schmecken, gell!«

Wie wir heimkommen, passt mich schon der Papa ab.

»Du, Franz«, druckst er herum. »Ich möcht unbedingt kurz zum Moratschek. Kannst du mich vielleicht fahren?«

Meine Güte, langsam wird's sonderbar.

»Warum willst du jetzt unbedingt kurz zum Moratschek? Es sind grad zwei Tage her, seit ihr euch das letzte Mal gesehen habt«, sag ich und trag die Metzgerware in die heimatliche Küche.

»Trotzdem!«, hechelt er hinter mir her.

»Soll ich dich denn fahren, Papa? Ich tu das gern«, fragt die alte Schleimsau vom Sofa rüber.

»Nein!«, sagt der Papa. »Der Franz soll mich fahren.«

Und selbstverständlich fährt der Franz.

Wir machen uns gleich auf den Weg.

Die Frau Moratschek freut sich, wie sie uns sieht.

Ihr Gatte hätte schon so viel vom Papa erzählt, sagt sie. Das kann ich mir vorstellen. Der Papa freut sich auch. Aber leider nur kurz, weil der werte Richter gar nicht zu Hause ist. Weil er heut Früh nämlich einen Anruf gekriegt hat vom Gericht, sagt sie. Ein Kollege ist krank, und so musste er kurzfristig einspringen. Das hat er natürlich gemacht, der Moratschek. Und somit hängt er halt im Gerichtssaal fest.

»Schade, schade«, sag ich zum Papa, wie wir ins Auto steigen.

»Fahr zum Gericht«, sagt der Papa.

»Bitte?«, frag ich.

Hat der noch alle Tassen im Schrank?

»Bitte!«, winselt er dann.

In Gottes Namen!

An der Gerichtstür hängt:

In der Sache Finkenstätter
wegen arglistiger Täuschung und schweren Betrugs
Verhandlung nicht öffentlich.

Rechtsanwälte: die reinsten Hyänen.

Kein Spaß für den armen Richter. Nein, gar nicht.

Wir setzen uns also vor den Saal, und ich harre der Dinge, die da kommen.

Und sie kommen!

Der Papa steht plötzlich und ohne jede Vorwarnung auf und schreitet dem Verhandlungssaal entgegen.

»Du kannst da jetzt nicht rein!«, schrei ich.

»Sie können da jetzt nicht rein!«, schreit ein Gerichtsdiener.

Und schon ist er drin.

Es ist augenblicklich mucksmäuschenstill im Saal, und der Papa bleibt einen Augenblick im Türrahmen stehen.

»Ja, bitte?«, sagt eine der Hyänen.

Der Papa schaut sich kurz um und rennt dann zielstrebig auf den Richtertisch zu.

»Moratschek!«, ruft er mit ausgebreiteten Armen.

»Eberhofer!«, ruft der Richter und kommt ihm auf dieselbe Art entgegen. Dann umarmt man sich eine Weile. Eine ganze Weile sogar.

»Was bin ich froh, dass Sie heil sind«, sagt der Papa ganz wehleidig.

»Und ich erst«, sagt der Richter und lacht.

»Können Sie das bitte in Ihre Freizeit verschieben?«, fragt die andere Hyäne.

»Ruhe im Gerichtssaal!«, schreit der Moratschek.

Die Frau auf der Anklagebank tupft sich die Augen trocken. Sie ist ganz gerührt von der Szene. Nie im Leben ist das eine Betrügerin. Und schon gar keine arglistige.

Die Herren mit den schwarzen Kutten sitzen hinter den mordswichtigen Notebooks und trommeln genervt auf die Tischplatte.

»Auf ein Bier, die nächsten Tage?«, fragt der Richter zum Abschluss.

»Auf ein Bier!«, sagt der Papa.

Dann gehen wir.

Auf der Heimfahrt lässt es mir keine Ruhe mehr. Ich muss einfach fragen, was ich jetzt frage.

»Du, Papa, bei dem Telefonat vorgestern hat der Moratschek zu dir gesagt ›Ich Sie auch, Eberhofer. Ich Sie auch‹. Was hat er damit eigentlich gemeint?«

Der Papa lacht. Leise und brummig.

»Ich hab ihn gefragt, ob er froh ist, dass er seine Frau wieder hat«, sagt er schließlich.

Aha.

»Und, weiter?«

»Dann hat er Ja gesagt.«

Herrschaft, muss man dem jetzt ein jedes Wort aus der Nase ziehen?

»Das ist schön. Und weiter«, drängle ich.

»Dann hab ich gesagt, dass ich ihn beneide.«

»Und daraufhin hat er gesagt, dass er dich auch beneidet?«

Der Papa nickt. Lächelt ganz versonnen und nickt.

Mir geht die ganze Sache noch mal so durch den Kopf. Eine ganze Weile sogar.

»Ja, worum in aller Welt beneidet er dich denn? Um dein popeliges Leben etwa?«, frag ich grinsend.

»Ja«, brummt der Papa zufrieden. »Schaut ganz danach aus.«

Wir schweigen ein bisschen.

»Was ist jetzt eigentlich mit deiner Susi«, will er noch wissen.

»Ja, nix. Die ist halt sauer, weil ich nicht da war, wie sie aufgewacht ist.«

»So, so, sauer also«, sagt er und schaut aus dem Seitenfenster.

Kapitel 22

Ein paar Tage später treff ich die Herren Simmerl und Flötzinger beim Wolfi. Sie stehen am Tresen und trinken Bier. Zwei Hocker weiter sitzt einer von den Beischl-Brüdern und trinkt ebenfalls Bier. Natürlich auch Schnaps, aber dazu ein Bier.

Dann erzählt der Flötzinger, dass er jetzt wieder in seiner Firma wohnt. Weil nämlich die Mary von seinen Urlaubsliebeleien erfahren hat.

»Von der Gisela weiß sie das nicht!«, poltert der Simmerl gleich los und knallt sein Bierglas nieder.

»Und wie hast du das verhindert?«, frag ich, um die Lage zu entschärfen.

»Mit ihrer berühmten Schoko-Ananas-Torte«, sagt der Simmerl mit stolzgeschwellter Brust. »Die, wo sie immer zu allen möglichen Festivitäten mitschleppt. Und wo sie das Rezept nicht rausrückt. Nicht ums Verrecken. Aber das kann sie auch gar nicht. Weil sie es nämlich selber gar nicht besitzt. Sondern nur ihre Tante. Und die backt dann die wunderbare Torte. Und die Gisela holt sie dort nur ab und lässt sich aber überall als Tortenfee feiern.«

»Das ist ja schlau«, sagt der Heizungs-Pfuscher ganz beeindruckt.

»Ja, so schlau auch wieder nicht, weil mich diese blöde Torte jedes Mal ungefähr hundert Kilo Fleisch kostet. Die Alte macht das ja schließlich nicht umsonst, gell«, sagt der Simmerl ziemlich mürrisch.

»Und jetzt hast du ihr gedroht, die Geschichte zu verbreiten, wenn sie der Mary was erzählt«, sagt der Flötzinger.

»Glasklar erkannt, mein Freund«, sagt der Metzger.

Der Flötzinger ist gerührt und gibt eine Runde Kümmerling aus. Für seine guten Freunde.

Und er erzählt, dass es seine Mary leider trotzdem herausgefunden hat. Das mit seinem Urlaubsflirt. Weil sie nämlich einen Synchronschwimmerbadeanzug in seinem Gepäck gefunden hat.

»Zuerst hab ich ja noch gesagt, der wär für sie. So als Mitbringsel halt. Und sie hat sich gefreut«, sagt er. »Aber dann ... dann hat sie die blöde Widmung gefunden, die da mit Edding hineingemalt war. ›Damit du mich nicht vergisst‹, war dort zu lesen. Da war's natürlich aus mit der Freude.«

Der Badeanzug ist zur Tür rausgeflogen und der Flötzinger gleich hinterher.

Ein Elend, wirklich. Ich bestell eine Runde Kümmerling.

»Das ist alles nur, weil du dich immer so ungeschickt anstellst«, sagt der Simmerl und ordert neues Bier.

Jetzt mischt sich auch noch der Beischl ein.

»Ja, recht viel geschickter stellt sich meine Alte aber auch nicht an«, sagt er zu uns rüber. Der Flötzinger kriegt gleich das Schwitzen, mein lieber Schwan.

»Aber ich sag mir immer, was andere abarbeiten können, muss ich selber nicht mehr tun, gell«, sagt der Beischl weiter.

Ja, das ist schon ein Kreuz, wenn man mit einer Nymphomanin Tisch – und vor allem Bett – teilen muss. Das mag man sich gar nicht erst vorstellen.

Dann geht die Tür auf, und der Papa erscheint. Nur einen Wimpernschlag später steht der Moratschek im Lokal. Der Simmerl bestellt Kümmerling für alle. Und ich trink mein Bier aus und geh heim.

Am nächsten Tag ist Sonntag und der Abreisetag der Leopoldschen Kleinfamilie. Weil nämlich auch der schönste Urlaub mal zu Ende geht. Und weil morgen in der Früh ein paar mordswichtige Vertreter an der Fußmatte seiner mordswichtigen Buchhandlung scharren, um die neuen potenziellen Bestseller anzupreisen, die mein großartiger Bruder dann unter die Leser zu bringen hat. Und drum heißt es jetzt Abschied nehmen. Was mir persönlich mein Herz in Wallung bringt. Noch mehr allerdings bringt mich die Oma in Wallung. Sie kocht nämlich ein Abschiedsessen vom Allerfeinsten. Einen Schweinsbraten mit Knödeln und Sauerkraut, und selbstverständlich schwimmt alles in einer hammermäßigen Biersoße. Wenn ich meine Todesart einmal selber bestimmen könnte, würd ich gern in der Oma ihrer Biersoße ersaufen.

Nach dem Essen schleppen wir Unmengen von Koffern zum Auto vom Leopold und drücken uns reihum im Kreis. Das heißt, die alte Schleimsau und ich drücken uns nicht. Wir verabschieden uns nur per Handschlag. Dafür zerquetscht er den Papa fast.

Die Sushi fängt zu weinen an, wie die Panida sie in ihrem Kindersitz fixiert. Armes Würstchen. Dann entschwindet der Wagen langsam, aber sicher, in der Ferne. Der Papa winkt noch eine Zeit hinterher, selbst wie schon gar nix mehr zu sehen ist. Und ich schnapp mir den Ludwig, und wir drehen unsere Runde.

Es ist mein Telefon, das meine Träume des Morgens unsanft zerschellen lässt. Dran ist der Bürgermeister.

»Was ist los mit Ihnen, Eberhofer?«, trällert er mir in den Hörer.

»Was soll los sein«, frag ich und setz mich erst einmal auf.

Latsche dem Ludwig auf den Fuß, und der verkriecht sich träge unters Kanapee.

»Ja, wo bleiben Sie denn? Es ist Montag. Also Arbeitstag. Schon vergessen?«, sagt er weiter.

»Und was ist mit den Termiten?«

»Termiten? Was für Termiten? Mein Gott, was faseln sie da? In unseren Breitengraden gibt es doch überhaupt keine Termiten. Also, jetzt raus aus den Federn und dem fröhlichen Schaffen entgegen«, sagt er noch.

Dann legt er auf.

Ich bin ein bisschen verwirrt und kann meine Hausschuhe nicht finden. Nach dem Duschen geh ich erst mal rüber ins Haus und hock mich zum Frühstücken hin. Der Papa schläft noch. Aber die Oma macht sich gleich eifrig daran, all meine kulinarischen Wünsche in die Tat umzusetzen.

Wenn ich den Anruf vom Bürgermeister richtig interpretiere, heißt das natürlich, dass die Susi wieder da ist. Hat ihren alten Arbeitsplatz zurückerhalten und somit die gesamte Gemeindeverwaltung wieder sicher im Griff.

»Heut brauchst zum Mittagessen gar nicht erst heimkommen, Bub«, schreit mir die Oma noch hinterher auf dem Weg zum Streifenwagen. »Weil heute nämlich Hühneraugen sind.«

Ja, wenn natürlich Hühneraugen sind, kann man da ein Mittagessen erwarten?

Wie ich in mein Büro reinkomm, ist alles unverändert. Grad so, als wär ich niemals weg gewesen. Von Renovierungsarbeiten jeglicher Art quasi überhaupt keine Rede. Irgendwie hatte ich das ja schon geahnt.

Dann ruf ich erst mal den Moratschek an. Mal schauen, was im Küstner-Fall alles so läuft. Es läuft aber gar nichts.

Weil er nämlich überhaupt nicht da ist, der Richter. Weil er nämlich im Außendienst ist. Ortstermin, sagt die Strickliesel am Telefon. Ich frag mich zwar schon, was so ein Richter im Außendienst macht, aber gut. Und so sag ich nur schnell, er soll mich zurückrufen, wenn er wieder da ist. Das will sie veranlassen.

Dann schau ich mich mal so um im Büro, ob irgendwas nach Arbeit ausschaut. Nix. Rein gar nix. Ziemlich langweilig also. Ich könnt mir ja auch erst mal einen Kaffee holen. So, wie ich es immer mache. Jetzt, wo offensichtlich die Susi wieder im Haus ist, könnte der sogar nach was anderem schmecken als nach Arsch und Friedrich. Das aber würde heißen, dass ich zu ihr ins Büro muss. Also zur Susi, mein ich. Aber dazu hab ich überhaupt keine Lust. Rein gar nicht. Weil dann nur wieder irgendein Vorwurf kommt: Du hast gesagt, dass du da bist, wenn ich aufwache, oder so was in der Art. Kein Bedarf. Nein, danke.

Also setz ich mich erst mal hin und bau einen astreinen Papierflieger. Leg die Beine auf den Schreibtisch und lass ihn fliegen.

»Ja, der Eberhofer«, sagt der Bürgermeister gleich, wie er zur Tür reinkommt. »Kaum im Dienst und schon wieder schwer beschäftigt, gell.«

Er hockt sich auf den Stuhl mir vis-à-vis. Ich lass einen weiteren Flieger durchs Zimmer gleiten. Er bleibt kurz am Bilderrahmen vom Stoiber hängen und fällt dann zu Boden.

»Aber da hab ich was für Sie«, sagt er weiter.

»Und das wäre?«

»Eine Tribüne.«

»Sie haben eine Tribüne für mich?«

»Ja, für Sie auch, Eberhofer, hähä. Für uns alle natürlich. Der FC Rot-Weiß kriegt nämlich eine nagelneue Tribüne. Na gut, nagelneu ist sie vielleicht nicht mehr so ganz.

Aber wir haben sie billig bekommen. Gebraucht sozusagen. Lässt sich aber leider nicht mehr zerlegen, wissen S'. Schrauben eingerostet und so. Ja, und die ist jetzt grad hierher unterwegs. Mit einem Schwertransporter. Und in circa zwei Stunden müsste sie eintreffen.«

»Und was hab ich damit zu tun?«, frag ich, während ich meine Flieger wieder einsammle.

»Ja, Sie sind ja gut. Sie müssen den Schwertransporter begleiten. Mit Blaulicht und so was. Nicht, dass noch etwas passiert. Am besten fahren S' ihm gleich mal entgegen.«

»Einen Schwertransporter begleiten. Wegen einer gebrauchten Tribüne. Für den FC Rot-Weiß. Super. Was haben Sie sonst noch im Angebot?«, frag ich, setz mich wieder hin und lass einen fliegen.

»Herrschaft, Eberhofer! Wir sind hier nicht im Wunschkonzert. Machen S' den Schwertransporter und fertig«, sagt er und erhebt sich. »Ach, übrigens, waren S' eigentlich schon bei der Susi vorne?«, will er noch im Rausgehen wissen.

»Nein«, sag ich und steh auch auf. Schnapp mir die Jacke vom Haken und geh direkt an ihm vorbei. »Keine Zeit für die Susi. Leider Gottes. Muss einen Schwertransporter machen.«

So langweilig, wie ich zuerst befürchtet hab, war die Begleitung von der gebrauchten Billigtribüne aber eigentlich gar nicht. Wir mussten zwei Bäume fällen, sieben Verkehrszeichen entfernen und einen Carport niederreißen. Fünf PKWs wurden beschädigt und vier im Straßengraben versenkt. So billig, wie der Bürgermeister also meint, war die Tribüne dann schließlich auch wieder nicht. Am Ende aber steht sie da, wo sie hinsoll. Am Fußballplatz vom FC Rot-Weiß. Das ganze Dorf ist anwesend, um den Einzug der neuen Fankurve zu bestaunen.

»Das haben Sie großartig gemacht, Eberhofer. Einfach

großartig«, sagt der Bürgermeister und haut mir auf den Buckel. Natürlich weiß er noch nichts von unseren Unannehmlichkeiten, und ich werd mich hüten, ihm davon zu berichten.

Auf einmal steht der Özdemir genau neben mir und lächelt herüber.

»Grüß Gott«, sagt er ganz zaghaft und streckt mir die Hand entgegen.

»Ah, Özdemir, alte Wursthaut«, sag ich, und wir schütteln uns die Hände. Er grinst.

»Eine neue Tribüne, schön. Haben Sie den Transport überwacht?«

»Worauf du dich verlassen kannst«, sag ich.

»Hab ich mir schon gedacht.«

Wir starren beide auf die Tribüne.

»Was macht eigentlich deine Schwester jetzt?«, frag ich, weil's mich brennend interessiert.

»Medine? Ach, Medine wird bald heiraten. Mein Vater ist ganz außer sich, und meine Mutter näht Tag und Nacht an irgendwelchen Teilen für die Hochzeitsfeier.«

»Das ist ja großartig«, sag ich. »Wen heiratet sie denn jetzt?«, frag ich und muss an den armen Cousin denken.

»Ihren Professor«, sagt er ganz stolz. »Er ist zwar nicht mehr der Jüngste und hört und sieht nicht mehr gut, aber es sind eher die geistigen Dinge, die sie verbinden, sagt Medine.«

Geistige Dinge, also. Ja, das erklärt einiges.

Da ja bekanntermaßen mein Mittagessen ausgefallen ist, kommt mir langsam der Hunger hoch. Ich geh mal ins Vereinsheim und schau, was auf der Speisekarte steht.

Dann ruft der Moratschek an.

»Alles läuft wie am Schnürchen, Eberhofer«, sagt er

ganz zufrieden. Und, dass die erste Verhandlung gegen den Küstner tatsächlich schon in zwei Wochen ist. Es sind einige Verhandlungstage anberaumt, weil er ja auch satt was auf dem Kerbholz hat, der alte Psychopath. Den Prozess macht natürlich ein anderer Richter, weil der Moratschek ja quasi das Opfer war. Aber das ist ein guter, alter Spezi von ihm, und so wird alles seinen gerechten Gang gehen, sagt er. Ich soll den Papa recht schön grüßen, und jetzt hat er gleich wieder eine Verhandlung. Dann hör ich einen tiefen Schnaufer, dass ich die Gletscherprise direkt riechen kann, und wir legen auf.

Ich bestell mir ein Schnitzel Wiener Art, weil man da nichts verkehrt machen kann, und ein Bier. Einen Kartoffelsalat dazu, fragt die Kellnerin. Nein, sag ich, da ess ich nur den von der Oma.

Grad wie ich mein Essen krieg, kommt der Flötzinger zur Tür rein und hat den Sohnemann dabei.

»Was treibt dich denn da her?«, frag ich, weil ich natürlich weiß, dass Fußball nicht unbedingt zu seinen Hobbys zählt.

»Der Ignatz-Fynn, der will jetzt unbedingt Fußball spielen. Bislang hat er ja Karate gemacht. Aber die mit ihrer ewigen Disziplin … ich glaub, das ist nix für den Buben. Das macht ihn irgendwie aggressiv«, sagt der Heizungs-Pfuscher, und der Bub reißt an seinem Ärmel.

Papaa … Papaa …

»Aggressiv, so, so«, sag ich und schieb mir ein Stück Fleisch in den Mund.

Der Knirps zerrt und plärrt.

»Und du? Was treibt dich hierher?«, fragt der Flötzinger und versucht, seinen Arm für sich zu behalten.

»Eine Tribüne«, sag ich.

Er lächelt gequält. Man kann ihm direkt ansehen, wie er unter den Attacken seines Sprosses leidet. Erbärmlich.

Papaa ... Papaa ...

Es ist zum Wahnsinnigwerden.

»Hey, Rotzlöffel!«, schrei ich und steh auf, dass gleich der Stuhl umkippt. »Geh und spiel mit was Giftigem, verstanden?«

Er versteht mich auf Anhieb. Entlässt seine Geisel in Freiheit und gesellt sich zu den anderen Kindern. Immer wieder schaut er zu uns rüber, wagt es aber nicht, auch nur einen einzigen Schritt näher zu kommen.

Wir trinken gemütlich ein Bier.

Kapitel 23

Kaum ist der Flötziger mit seinem Balg wieder Richtung Heimat verschwunden, erscheint die Susi. Ich weiß gleich gar nicht, wo ich hinschauen soll, aber sie kommt direkt auf mich zu. Umwerfend schaut sie aus. Einfach umwerfend.

»Ist da noch frei?«, fragt sie mich, und schon sitzt sie auch. »Der Moratschek war heute bei mir«, sagt sie weiter.

»Der Moratschek?«, frag ich.

Sie nickt. Dann nimmt sie einen Schluck Bier aus meinem Glas.

»Und was wollte der Moratschek bitte schön, wenn ich fragen darf.«

»Er hat mir erzählt, was du für ein Held bist«, sagt sie und bläst sich eine Haarsträhne aus der Stirn. Umwerfend, muss ich schon sagen.

»Erzähl mir mehr von dieser großartigen Geschichte«, sag ich so.

Sie lacht.

»Du hast sein Leben gerettet und das von seiner Frau auch, hat er gesagt. Und, dass er dir das niemals vergessen wird.«

Ich lehn mich zurück und strecke die Arme, so weit sie überhaupt reichen, quasi über die ganze Stuhlreihe links und rechts neben mir.

»Aha«, sag ich und tu so, als ob ich wenig beeindruckt wäre. In Wirklichkeit hab ich stark zu kämpfen, hier nicht gleich das Platzen zu kriegen. Vor Stolz mein ich freilich.

Dann zieht sie einen Umschlag aus ihrer Handtasche und schiebt ihn über den Tisch.

»Was ist das?«, frag ich jetzt.

»Mach's auf!«

Drin ist ein Gutschein. Ein Gutschein über ein Romantikwochenende für zwei Personen im Bayerischen Wald. Mit Sauna, Massagen, Fünf-Gänge-Menü und Pipapo.

»Vom Moratschek. Weil du nicht da warst, wie ich aufgewacht bin«, sagt sie ganz zärtlich. Dann nimmt sie meine Hand. »Was hast du eigentlich nächstes Wochenende vor?«, fragt sie mich leise.

»Du, nächstes Wochenende ist eher schlecht«, sag ich, und sie zieht eine Schnute. »Weil: nächstes Wochenende, da bin ich nämlich in einem hammermäßigen Romantikhotel im Bayerischen Wald, weißt du.«

Sie schmunzelt. Und dann küsst sie mich, das glaubst du nicht.

Gleich darauf kommt die Oma herein und hat die Mooshammer Liesl im Schlepptau.

»Mei, seid's ihr zwei ebba wieder beieinander?«, will die sofort wissen.

Wir zucken beide mit den Schultern.

»Die Hühneraugen sind weg. Alle«, schreit die Oma. Ziemlich laut sogar. »Das ist wunderbar, Franz. Weil übermorgen gibt's nämlich zwanzig Prozent beim Karstadt in Landshut. Und da fahren wir hin, gell, Bub?«

Freilich fahren wir da hin, gar keine Frage. Die Oma kriegt noch ein Eis, und danach fahren wir heim.

Wie ich am nächsten Tag in der Früh in mein Büro komm, ruft mich zuerst einmal der Birkenberger an. Er will wissen, ob ich den Verhandlungstermin vom Küstner schon weiß, und ich lass ihn an meinen Kenntnissen großzügig teilhaben.

»Dann sehen wir uns also spätestens in zwei Wochen«, sagt er. »Obwohl, was hast du eigentlich am Wochenende vor? Könntest leicht mal wieder deinen Arsch nach München schwingen.«

»Nein, weil ich meinen Arsch am Wochenende in den Bayerischen Wald schwinge. In ein Romantikhotel, sollte es dich interessieren.«

»Mit deiner Susi vielleicht?«

»Vielleicht!«

Er lacht. »Du, sollte der Susi irgendetwas Blödes dazwischenkommen, lass es mich wissen!«

»Gott bewahre!«

Dann häng ich ein.

Im Laufe des nächsten Vormittags erfährt natürlich unvermeidbarerweise der Bürgermeister von unseren diversen kleinen Desastern bei der Schwertransportsache. Ziemlich unbeherrscht betritt er mein Büro.

»Das werden Sie bezahlen, Eberhofer. Auf Heller und Pfennig, das schwör ich Ihnen!«, tobt er mir her und beugt sich bedrohlich über den Schreibtisch. Ich sag erst mal gar nichts. Lass ihn in aller Ruhe zu einer regelmäßigen Atmung zurückfinden. Dann lässt er sich mir gegenüber in den Stuhl plumpsen.

»Für so was sind wir doch versichert«, sag ich und steh auf.

»Ich scheiß auf Ihre Versicherung!«

Ich setz mich auf den Schreibtisch.

»Sie wollen also, dass ich für den entstandenen Schaden persönlich aufkomme.«

»Höchstpersönlich sogar.«

»Das werd ich mit meinem mickrigen Gehalt kaum hinkriegen.«

»Kaum.«

»Dann werd ich mir wohl einen Nebenjob suchen müssen.«

»Tun Sie das!«

»Für die Wochenenden und so.«

»Gute Idee.«

»Am besten fang ich gleich damit an«, sag ich und steh
auf.

»Je eher, desto besser!«

Ich geh zum Fenster rüber und schau mit verschränkten
Armen hinaus. Wunderbares Wetter heute. Der Bürgermeister erhebt sich und schreitet zur Tür.

»Dumm nur wegen der Susi«, sag ich dann so, und das
haut ihm direkt ein Stoppschild vors Gesicht.

»Wieso wegen der Susi. Wie meinen S' das jetzt?«

»Ja, weil wir halt am Wochenende in den Bayerischen
Wald fahren wollten. Zu einem Romantikwochenende,
wissen S'. Und wenn ich die jetzt wieder versetze, dann
geht die womöglich direkt nach Italien zurück. Zu diesem
Schlawiner. Das wär doch ein Jammer.«

»Wissen S' was, Eberhofer«, sagt er und tritt gefährlich
nah hinter mich. »Lecken S' mich am Arsch! Und zwar
kreuzweise. Sie tun ja sowieso, was Sie wollen!«, spricht's
und schlägt die Tür hinter sich zu.

Der restliche Tag ist eher wieder ruhig, zumindest bis kurz
vor Feierabend, wo's dann noch zu einem Verkehrsunfall
kommt. Was halt ärgerlich ist. Wenn du nämlich den ganzen lieben langen Tag lang Papierflieger durchs Zimmer
zischen lässt, nervt es halt ungemein, wenn so kurz vor
Schluss noch was Blödes daherkommt. Aber gut, man kann

es sich ja schließlich nicht aussuchen. Also fahr ich mal hin und schau mir das an.

Der PKW liegt auf dem Kopf und ist keiner von uns aus dem Dorf, vielmehr aus München. Und wenn du mich fragst, schaut's nicht grad rosig aus für den Insassen. Zum Glück ist es nur einer, und weil die Feuerwehrler schon da sind, haben sie ihn auch ruckzuck aus dem Wagen geschnitten. Helfen tut ihm das aber nicht mehr viel, weil er bedauerlicherweise tot ist. Ich geh ein paar Schritte und schau mir die Sache mal an. Vermutlich ist er von der Fahrbahn abgekommen und hat sich dann wer weiß wie oft überschlagen. Salto mortale praktisch. Der Mann hat keine Papiere dabei und ist ziemlich alt. Und da beweist es sich wieder, dass mit den Jahren die Fahrunsicherheit drastisch zunimmt. Wobei man jetzt ja schon sagen muss: Gott sei Dank ist es kein Junger. Das wär dann wirklich schlecht. Weil der ja sein ganzes Leben quasi noch vor sich hat, gell. Der hier dagegen hat alles schon hinter sich. Und womöglich kann er direkt froh sein, weil: wer weiß, was noch vor ihm gelegen hätte. Da bleibt ihm vielleicht ein Herzschrittmacher erspart. Oder ein künstlicher Ausgang. Oder beides. Ja, im Grunde ist es schon besser so. Ganz klar.

Der Doktor meint, mit größter Wahrscheinlichkeit Herzinfarkt. Und der Staatsanwalt, den ich telefonisch erreiche, sagt, einpacken und wegbringen. Dann kommen auch schon die Leichenfledderer und sargen ihn ein. Nachdem auch der Abschleppdienst abfährt, muss ich noch kurz ins Büro und geb den Münchener Kollegen Bescheid. Sollen die sich drum kümmern, schließlich ist es einer von ihnen. Für mich ist jetzt Feierabend.

Kapitel 24

Kurz vor dem Romantik-Wochenende kommt die Susi in mein Büro und schließt die Tür hinter sich. Sie setzt sich auf meinen Schoß und streicht mir durch die Haare. Das ist schön.

»Ich weiß überhaupt nicht, was ich einpacken soll. Hast du irgendeine Idee?«, fragt sie mich.

»Ja, nicht viel halt. Es sind ja auch bloß zwei Tage«, sag ich so.

»Nicht so viel also. Kannst du es vielleicht ein bisschen deutlicher ausdrücken. Was genau verstehst du unter ›nicht viel‹?«

»Mei, einen String-Tanga zum Beispiel.«

Dann boxt sie mich und lacht. Sie steht auf und geht zur Tür.

»Wir werden mit zwei separaten Autos fahren«, sagt sie noch, bevor sie rausgeht.

»Und warum bitte schön?«

»Weil das aufregender ist«, sagt sie. Dann fällt die Tür ins Schloss.

Aufregender also.

Bevor ich mich dann auf den Heimweg mach, läutet mein Telefon.

»Kann es zufällig sein, dass bei der Susi irgendwas Blödes dazwischengekommen ist?«, fragt mich der Rudi.

Jetzt muss ich lachen.

»Nein«, sag ich.

»Bist du ganz sicher?«

»Keine Chance«, sag ich und leg auf.

Später geh ich noch mit dem Ludwig eine Runde und hab irgendwie ein schlechtes Gewissen dabei. Weil ich ihn halt jetzt schon wieder allein lassen muss. Aber es hilft alles nix, und schließlich freu ich mich ja auch schon wie verrückt. Auf das Fünf-Gänge-Menü. Am Ende brauchen wir eins-dreißig für die Runde, weil wir so gar nicht recht in die Gänge kommen, wir beide.

Dafür komm ich aber im Romantikhotel in die Gänge, frag nicht. Die Susi ist schon da, wie ich hinkomm, liegt in einem Hauch von Nichts im Himmelbett und himmelt mich an. Lässt einen Champagnerkorken knallen und füllt die Flöten. Mehr kann ich zu diesem Thema nicht sagen. Weil ein Gentleman genießt und schweigt. Nur so viel vielleicht: Wir haben das Fünf-Gänge-Menü versäumt.

Am nächsten Tag in der Früh ist die Susi noch ziemlich verschlafen, mich aber hält hier nichts mehr in den Federn. Also verabreden wir uns zum Frühstück in zwei Stunden. Das ist perfekt, weil ich nämlich derweil in die Sauna gehen kann. Die Uhrzeit ist prima, da dürfte noch kaum was los sein dort.

Also schnapp ich mir den wunderbaren Plüschbademantel aus dem Schrank und die dazugehörigen Badelatschen und wandere den Wellnessfreuden entgegen. Tatsächlich ist kaum jemand dort, nur eine einzelne dicke Frau hockt in der Sauna, wie ich reingeh.

»Guten Morgen«, sag ich und schau mich unschlüssig um. Bei so vielen freien Plätzen weiß man gleich gar nicht, wo man sich hinsetzen soll.

»Guten Morgen«, sagt die Dicke und zupft an ihrem Handtuch.

»Ich schau Ihnen schon nix ab«, sag ich dann und setz mich ihr gegenüber.

»Wegen mir können S' schon was abschauen. Ich hab ja genug«, sagt sie und lacht.

Ich lach auch, und dann fang ich schon zum Schwitzen an. Das tut gut. Unglaublich gut sogar. Nach drei Durchgängen bin ich wie frisch geboren und hungrig wie ein Tier.

»Das Frühstück ist ein Traum«, sagt die Susi und streckt mir ihren Mund entgegen.

»Ausgeschlafen?«, frag ich, und sie kriegt ein Bussi.

Sie nickt und steckt sich ein Stück Pfirsich in den Mund. Das schaut wunderbar aus. Ich geh jetzt erst mal zum Büfett und schnapp mir einen Teller. Leider mach ich den dann so dermaßen voll, dass ich auf dem Rückweg schon die Hälfte wieder verliere. Der Kellner im Frack schaut ein bisschen pikiert. Ich zuck mit den Schultern.

Das Frühstück ist prima, da gibt's nichts zu meckern, wobei ein Traum jetzt vielleicht auch übertrieben ist. Besonders Abstriche muss ich machen, weil man sich alles selber holen muss. Da gibt's keine Oma, die um den Tisch herumwedelt und alle Lücken im Teller sofort wieder auffüllt. Nein, gar nicht. Alles muss man selber holen. Und dann muss man ewig oft gehen, weil die Teller so klein sind. Und wenn man zu viel draufpackt, verliert man die Hälfte. Und dann kriegt man böse Blicke vom Pinguin. Also von Traum keine Rede. Direkt schon mehr ein Albtraum, kann man da quasi sagen.

Draußen in der Empfangshalle steht eine Tafel, wo draufsteht:

Heute großer Tanzabend.

Um Tischreservierung wird gebeten.

Abendkleidung erwünscht.

»Ach, schau Franz, da gehen wir hin! Wir haben schon

so lange nicht mehr getanzt«, sagt die Susi und hüpft gleich vor Freude in die Höhe. Also wandern wir zielstrebig zur Rezeption, wo jetzt der Pinguin wieder lauert.

Verfolgt der uns, oder was?

Er reserviert uns einen Tisch, kein Problem, und trägt unsere Namen in eine Liste ein.

»Besitzen Sie eine Krawatte?«, fragt er in meine Richtung.

»Nicht, dass ich wüsste«, sag ich.

Was will der von mir?

»Jeder erwachsene Mann sollte in Gottes Namen zumindest eine einzige brauchbare Krawatte besitzen«, sagt er und rümpft ein bisschen die Nase.

»Hey, hey, hey!«, sag ich.

»Wir werden eine kaufen«, sagt die Susi und schleift mich hinter sich her zur Tür hinaus.

Wir kaufen nicht eine, wir kaufen sieben. Für jeden Wochentag eine. Mit den jeweiligen Wochentagen drauf, versteht sich. Sehr praktisch. So hat man nicht zweimal hintereinander dieselbe am Hals.

Die Susi schmeißt sich in Schale, das kann man gar nicht erzählen. Sie trägt ein Dirndl, und weil sie einen einwandfreien Dirndlbusen hat, schaut sie halt schon besonders scharf aus darin. Da fall ich eher ab mit meiner Jeans und dem weißen Hemd. Dafür trag ich aber Krawatten. Sieben Stück an der Zahl. Jetzt kann er sich eine aussuchen, der Herr Oberkellner.

Der großartige Tanzabend besteht dann aus einer Elektroorgel samt Peiniger, der inbrünstig Julio-Iglesias-Lieder in den Saal schmachtet und bei jeder Gelegenheit einzelne Schmalzlocken über eine ansonsten eher lichte Schädeldecke fingert. Ein paar alternde Paare schlurfen übers Parkett und sabbern sich gegenseitig ans Revers. Ein älterer Herr mit jüngerer Begleitung schwingt ebenfalls eifrig das Tanzbein, während sie hinterrücks die Augen in alle Richtungen verdreht. Und auch zwei betagte Mädchen durchstreifen Wange an Wange den Saal.

»Ich glaub, ich mag lieber doch nicht tanzen«, sagt die Susi mit Blick auf das wiegende Elend.

Das ist ein Wort!

Ich pack sie am Arm und schleif sie hinter mir her.

»Amor …«, tönt es noch bedrohlich aus den Boxen. Am Eingang steht der Pinguin. Ich reiß mir die Krawatten vom Hals und drück sie ihm in die Arme. Alle sieben.

Später finden wir ein erstklassiges Rockcafé und fetzen uns bei ›Metallica‹ die Seele aus dem Leib.

Kapitel 25

Wie ich am Montag in der Früh in mein Büro komm, sind schon die Özdemirs drin. Der Vater im Kleid, die Mutter mit Kopftuch, ganz, wie gehabt. Und nicht zuletzt der Fußballgott mitsamt seiner Schwester. Medine, die Hässliche, steht am Fenster und schaut hinaus.

»Familie Özdemir, was verschafft mir die Ehre?«, sag ich gleich, wie ich reinkomm.

Der Jüngere tritt mir entgegen und gibt mir die Hand.

»Eberhofer, alte Wursthaut«, sagt er und grinst. »Das ist übrigens meine Schwester Medine.«

Das war nicht zu übersehen.

Sie kommt zu uns rüber und begrüßt mich mit Handschlag. Wobei jetzt das Wort Schlag vielleicht völlig fehlbesetzt ist. Schlaff würd es viel eher treffen.

Aber gut.

Vater und Mutter Özdemir sitzen ein bisschen betrübt vor meinem Schreibtisch nebeneinander.

»Wir müssen eine Vermisstenanzeige machen«, sagt dann der Vater leise, und mir schwant Furchtbares. Wird doch nicht etwa der Bräutigam wieder den Rückwärtsgang eingelegt haben, so kurz vor der Hochzeit? Ich schau die Medine an. Da gibt's kaum einen Zweifel.

»Und wer genau wird vermisst?«, frag ich dann einfach der Form halber.

»Der Verlobte von Medine«, sagt jetzt ihr Bruder und legt den Arm um sie. »Er war zu Besuch bei uns zu Hause. Wegen den Hochzeitsvorbereitungen und so. Am Nachmittag wollte er dann noch einen alten Schulfreund besuchen. Der muss hier irgendwo in der Gegend wohnen. Und dem wollte er die Einladung eben gern persönlich vorbeifahren.«

Medine nimmt ein Taschentuch und wischt sich über die Augen.

»Und seitdem ist er verschwunden?«, frag ich.

»So ist es. Zuerst haben wir ja noch geglaubt, die beiden haben sich ziemlich lange nicht mehr gesehen, und da gibt's wahrscheinlich viel Gesprächsstoff, aber …«

»Nein, es ist eher unwahrscheinlich, dass man sich gleich tagelang verratscht«, muss ich ihm beipflichten.

Der Özdemir nickt. Die zwei Alten starren zu Boden.

»Gibt's vielleicht irgendein Foto von dem Vermissten?«, frag ich weiter.

Er zieht eins aus der Jackentasche und schiebt's mir übern Schreibtisch.

Ich fall gleich tot um!

Auf dem Foto ist eindeutig das Unfallopfer von der letzten Woche. Der hat sich ja wirklich gründlich aus dem Staub gemacht, muss man schon sagen.

Die Medine schnäuzt sich, und ich weiß gleich gar nicht, wo ich hinschauen soll. Damit jetzt hier im Büro keine türkischen Weinkrämpfe stattfinden, deut ich den werten Herren an, mir in den Gang zu folgen. Nachdem ich meine Informationen mit ihnen geteilt hab, mach ich mich auch gleich vom Acker. Geh zur Susi ins Büro und gieß mir einen Kaffee ein. Keinen Atemzug später ertönen bereits die Wehgesänge durch unseren Korridor.

»Was ist denn da draußen los?«, fragt die Susi und geht zur Tür.

»Mach bloß nicht auf!«, ruf ich ihr zu.

Sie gehorcht.

Wie die Özdemirs endlich im Auto hocken und Ruhe einkehrt in unsere dienstlichen Hallen, genieß ich erst mal meinen Kaffee. Weil: so ein Stress gleich am Montag in der Früh ist halt ärgerlich. Da kann man noch so viel Energie tanken am Wochenende, die ist dann praktisch gleich wieder hinüber, gell.

Dann beginnt endlich der Küstner-Prozess. Am ersten Verhandlungstag ist ein Remmidemmi im Gerichtsgebäude, das ist direkt unglaublich. Kameras, wohin das Auge schweift, und Schaulustige in allen Variationen. Den Küstner bringen die Kollegen an Händen und Füßen geschellt, und dieses Mal brüllt er nicht wie ein Irrer, sondern geht schweigend und mit gesenktem Kopf dem Gerichtssaal entgegen. Irgendwie direkt geistesabwesend, muss man schon sagen. Vermutlich haben sie ihm was zur Beruhigung gegeben. Es ist ja auch wirklich eine Zumutung, wenn ständig einer mit blöden Zwischenrufen stört. Besonders, wenn es so unqualifizierte sind wie die seinen. Und erst recht, wenn es sich dabei auch noch um den Angeklagten selbst handelt. Dann doch lieber ruhigstellen. Das leuchtet ein.

Der Moratschek steht am Kaffeeautomaten und trägt Zivil. Weil er ja heute keine richterliche Autorität ist in diesem Fall. Ich dagegen hab mir die Uniform angezogen, und der silberne Stern kommt großartig an, gar keine Frage. Der Papa ist auch da und freilich auch der Birkenberger. Die Frau Moratschek hat sich hervorragend in Schale geschmissen und ist der Liebling von der Presse. Weil sie halt todesmutig in ihr Heim gegangen ist, obwohl sie befürchten musste, dass der Psychopath darin lauert. Aber das hat sie aus reiner Liebe zu ihrem Gatten gemacht. Und das nach so vielen Ehejahren. Das freilich rührt sogar das kälteste Journalistenherz.

Dass der Rudi und ich die eigentlichen Helden sind, interessiert überhaupt gar kein Schwein nicht. Im Gegenteil. Pflichterfüllung, heißt es. Aus. Da kann ich mit meinem silbernen Stern auf und ab flanieren, wie ich will.

Der Rechtsanwalt vom Küstner ist fast genauso ruhig wie sein Mandant, man könnte bald phlegmatisch sagen. Womöglich steht er auch unter Drogen, wer weiß. Na gut, am Anfang gibt es auch noch nicht wirklich viel zu tun für ihn. Verlesen der Anklageschrift und Vorführung der Beweismittel. Da kann er sich schon mehr oder weniger raushalten. Aber auch in den folgenden Verhandlungstagen ist es nicht anders. Der Küstner und sein Advokat hocken eher teilnahmslos in der Bank und harren der Dinge, die da kommen.

Unglaublich, wirklich.

Dadurch wird natürlich die ganze Prozedur enorm verkürzt. Weil: wenn niemand ein Veto einlegt, kann man das alles ja prima ganz flott durchziehen. Am Schluss kriegt er noch mal fünfeinhalb Jahre zu seiner ohnehin noch offenen Strafe, anschließende Sicherheitsverwahrung steht gar nicht erst zur Diskussion. Selbst wenn der Küstner die Gene von der Oma hätte, dürfte er das kaum mehr erleben.

Ein paar Tage später ist Grillfest bei uns am Hof. Der Papa hat das so beschlossen, weil er einfach mal ein paar nette Leute um sich haben will, sagt er. Das hat er jetzt schon jahrelang nicht mehr getan, und ich hab den Verdacht, es ist auch nur ein Vorwand. Ein Vorwand, um den Moratschek wiederzusehen. Dieses Mal aber muss er ihn teilen, weil die werte Gattin natürlich auch mit von der Partie ist. Sie trägt ein hellblaues Kostüm und eine Schüssel Salat im Arm und ist holterdipolter bei der Oma in der Küche verschwunden. Ebenfalls küchentechnisch aktiv ist freilich die Mooshammer Liesl. Sie dreht Ćevapčići im Hackfleisch-Knoblauch-Verhältnis eins zu eins und redet dabei ohne Punkt und Komma. Dabei ist es ihr völlig egal, wer eigentlich zuhört. Auch wenn sie mit der Oma ganz alleine ist, plappert sie munter drauflos. Wobei ich sagen muss, dass die Oma von allen Menschen auf diesem Planeten die Liesl am besten versteht. Vielleicht einfach, weil sie die schon so lang kennt und es ohnehin immer wieder das Gleiche ist, was sie erzählt. Wer kann das schon wissen.

Dann rollt der einzigartige Leopold in den Hof ein. Er hievt die Sushi aus ihrem Sitzchen und drückt sie mir in den Arm.

»Schau mal, Bruderherz, hier kommt deine Lieblingsnichte«, sagt er.

Ist der betrunken?

Die Panida verschwindet mit ein paar Tupperschüsseln ebenfalls in der Küche.

Der Leopold zündet den Grill an.

Die Sushi patscht mir ihre Hände ins Gesicht.

»Ogiwans, Ogiwans«, quietscht sie vergnügt.

Der Papa schenkt Bier ein.

Dann erscheinen Herr und Frau Flötzinger ungewohnt in trauter Eintracht und haben ganz offensichtlich sogar einen Babysitter für ihre nervige Brut gefunden. Wer diese undankbare Aufgabe wohl übernommen hat? Die Hexen von Eastwick?

Kurz darauf kommen auch schon die Simmerls und haben einen Wäschekorb voller Fleisch dabei. Das ist wunderbar. Weil mir jetzt schon langsam der Hunger hochkommt. Dann radelt die Susi in den Hof. Ihre Haare flattern im Fahrtwind, und sie hat einen köstlichen Apfelkuchen dabei. Leider bringt sie ihn aber direkt in die Küche.

Irgendjemand deckt dann den Tisch ein, und ein anderer

macht Musik. Es sind die Beatles, die laufen. So war es wahrscheinlich der Papa.

Das Fleisch liegt auf dem Rost und brutzelt so vor sich hin, und meine Nasenflügel fangen direkt an zu beben. Die Frauen bringen das Beiwerk nach draußen und setzen sich nieder. Endlich wird das Essen verteilt, und wie von selbst findet meine Gabel den Weg dort hinein und genau in den Mund.

Die Stimmung ist großartig. Es wird geredet und gelacht, und man könnte fast sagen, es kommt so was wie eine Idylle auf.

Dann aber läutet mein Telefon. Ich persönlich wär ja gar nicht erst rangegangen. Hätt es halt einfach nicht gehört. So was kann passieren. Wirklich. Rangegangen ist aber der Leopold. Und der reicht mir den Hörer über den Tisch.

»PI Landshut. Für dich«, sagt er.

Und wie wir bereits wissen, gibt's dort momentan eine Riesenunterbesetzung. Und darum brauchen sie mich jetzt. Unbedingt. Und zwar sofort. Mein Einspruch zerschellt wie ein Schneeball an einer Betonmauer.

»Magst du noch ein Scheibchen Fleisch, Papa?«, fragt die alte Schleimsau fröhlich. Meine tödlichen Blicke ignoriert er total. Der Ludwig drückt mir den Kopf gegen den Schenkel und winselt ganz leise. Und die Susi streicht mir durch die Haare. Dann schieb ich mir noch ein Stück Fleisch in den Rachen und mach mich auf den Weg.

Dass ich jetzt nicht grad singend und pfeifend in der Inspektion erscheine, dürfte ja wohl klar sein, weil meine Laune ziemlich hinüber ist.

»Sind Sie der Eberhofer aus Niederkaltenkirchen?«, tönt eine Stimme hinter mir, grad wie ich so den Gang entlangwandere. Ich kenn den Typen nicht. Er ist gute zehn Jahre jünger wie ich, und seine zwei silbernen Sterne zeigen mir deutlich, dass er ein Oberkommissar ist. Dass er ein Oberarschloch ist, zeigt er mir persönlich.

»Ja, sagen Sie mal, was machen Sie denn für ein Gesicht? Immer freundlich bei der Arbeit, verstanden? Und jetzt fahren Sie gleich mal zur Sparkassenarena raus, da ist nämlich heute ein Sommerfest. Und da holen S' dann ein paar schöne Führerscheine, und zwar flott!«

»Hab ich Sie grad richtig verstanden, es ist aktuell kein Banküberfall hier in Landshut?«

»Kein Banküberfall.«

»Keine Amoklage?«

»Nicht, dass ich wüsste.«

»Kein Atomunfall im Kernkraftwerk Ohu?«

»Worauf wollen Sie hinaus, Herrgott?«

»Sie holen mich hier in die PI, damit ich Ihnen ein paar Scheine zwicke? Und zwar flott. Ist das Ihr Ernst?«

»Ob das mein Ernst ist? Ich bin Ihr Vorgesetzter, mein Freund, und Sie tun genau das, was ich Ihnen sage! Haben Sie mich verstanden?«

Jetzt werd ich aber böse.

»Ja, du Bürscherl, du windiges!«, sag ich. »Wie alt bist du eigentlich? Fünfzehn? Lass dir erst mal ein paar Sackhaare wachsen, dann kannst du mir vielleicht einen Befehl erteilen. Und jetzt aus dem Weg. Und zwar flott!«, sag ich und dreh mich ab.

So nach und nach sind wohl einige Kollegen dazugekommen, und die meisten müssen jetzt grinsen. Andere haben die Arme verschränkt und schauen eher verschämt in den Boden. Aber das ist mir wurst. Was mir nicht wurst ist, dass ich natürlich trotz alledem seinen Anordnungen nachkommen muss. Auch wenn's mir noch so zuwider ist. Aber schließlich ist er mein Vorgesetzter. Was mir aber noch viel weniger wurst ist, dass es die nächsten Wochen keinen Deut anders wird. Weil ich hier in dieser dämlichen PI abhänge, um schwangere Kolleginnen zu ersetzen. Und natürlich bei jeder sich bietenden Gelegenheit mit diesem Arschloch aufeinanderpralle. Richtig fies aber wird es erst, wie ich ihn eines Abends im Polizeihof in die Ecke drücken und ihm mal Manieren beibringen muss. Zum Beispiel, wie man sich älteren Personen gegenüber zu benehmen hat, und so weiter. Wobei das auch noch nicht mal das Ding ist. Das kann schon mal vorkommen. Keine Frage. Grad so unter Kollegen. Und da hat jeder vollstes Verständnis dafür. Wirklich. Wenn der Arsch aber tags darauf tot im Hof liegt, ist das halt Scheiße.

Aber das ist saudummerweise wieder eine ganz andere Geschichte.

Glossar

Achter   Handschellen (bayerischer Polizeijargon)

bieseln   pinkeln

Datterer   Tattergreis, meistens wird er in der maskulinen Form genannt. Ein älteres, eher etwas unbeholfenes und unglaublich nerviges Männlein also.

Fleisch-
pflanzerl   Frikadellen oder Buletten oder Fleischküchle sind flache Knödel aus gemischtem Hackfleisch und nach Leberkäs meine Lieblingsbrotzeit.

in die Froas
fallen   Zuckungen kriegen, Schaum vorm Mund, epileptische Anfälle, ausflippen, ausrasten oder lethargisch ins Leere starren. Also kein schöner Zustand, aber kommt vor.

Gemächt   Männliches Betriebssystem. Empfindlichste Stelle bei Körperkontakt sowohl im positiven, aber auch im negativen Sinn, bis hin zum game over.

Gerotze   Bei starker Erkältung läuft die Nase, kennt man ja. Allerdings wird der Begriff auch gern bei Weicheiern benutzt. Wenn eben

einer wegen jedem Dreck zu heulen anfängt, nennt man diese Flennerei auch gern
ein Gerotze, ein elendiges.

greislich ungenießbar (bei Mahlzeiten); hässlich (bei
Weibsbildern)

grindig mies, gammelig, ungepflegt

Grinserl ist kein Lächeln. Eher das Gegenteil. Vielleicht trifft es »ein hämisches Schmunzeln«
am besten.

Haindling ist A) ein Ort in Niederbayern und vielen Pilgern ein Begriff, hier aber nicht re-
levant. Und B) eine Band, die in bairischer
Mundart irgendwo zwischen Pop, Jazz und
Volksmusik changiert und deren Gründer
Hans-Jürgen Buchner außer Arschgeige so
ziemlich jedes Musikinstrument spielt. Ich
persönlich mag diese Musik. Schon allein
wegen der Sprache.

Haxerl Haxen = Beine; Haxerl = winzige Beine

holterdipolter ruckzuck, geschwind, eilig, ohne Ankün-
digung

Krawattl Wenn man jemanden am Krawattl packt,
packt man ihn am Kragen, also eine eher
unfreundliche Geste.

Remmidemmi Durcheinander, Chaos

Schafkopfen	Ein Kartenspiel mit weniger glorreichem Ruf, wird eher in Bauernwirtschaften gespielt.
scheißerl-freundlich	Eine Art von unangenehmer Freundlichkeit, Ich würd sagen, von schleimig über ironisch bis rein ins Hinterfotzige.
Tragerl (Bier)	Tragerl ist ein zärtlicher Ausdruck für Träger oder Kasten, der Getränke beinhaltet. Wenn man aber von Bier spricht, ist eine gewisse Zärtlichkeit durchaus angebracht.
Wammerl	Ein gut durchwachsener Schweinebauch. Wird gern direkt im Sauerkraut erhitzt und gibt dem Kraut einen unverschämt guten Geschmack. Aber auch gegrillt, resch und knusprig – der pure Wahnsinn.
Zinken	ein eher überdimensionales Modell einer Nase
Zischhalbe	ist in der Regel das erste Bier, und der Durst lässt es quasi schon in der Gurgel verdunsten. Deshalb trinkt man es so schnell wie möglich, dass alles grad so zischt.

Ein umfangreicheres Glossar gibt's für den findigen Leser
auf Rita Falks homepage unter:
www.franz-eberhofer.de
www.rita-falk.de

Aus dem Kochbuch von der Oma, anno 1937

Rahmgulasch

Saftiges Rindfleisch schneidet man in größere Stücke, ebenso Speck, diesen in sehr kleine Würfel (auf 1 kg Fleisch 50 bis 100 Gramm Speck). Dann lässt man Butter sehr heiß, fast braun werden. Man hackt etliche Zwiebeln in ganz feine Stückchen. Diese und den Speck gibt man in die heiße Butter nebst einem gehäuften Teelöffel Paprikapulver. Dann kommt das Fleisch dazu, und man brät es mit raschem Feuer einige Minuten. Es wird nicht gewendet, ehe es Farbe bekommt. Sobald es von allen Seiten gut angebraten ist, gießt man mit Brühe auf, gern auch einem Schuss Rotwein, sodass es bedeckt ist. Es wird mit Salz und Pfeffer abgeschmeckt und 2 bis 3 Stunden gedünstet. Wer möchte, gibt eine klein gehackte Knoblauchzehe dazu. Sobald das Fleisch weich ist, kommt ein Teelöffel Mehl daran. Kurz vor dem Servieren wird ein Batzen Rahm untergerührt. Man reicht Reis, Kartoffeln oder Teigwaren dazu.

Die Oma weint bei jedem Gulasch Rotz und Wasser. Weil ihr die Augen tränen wegen der Zwiebeln. Das Fleisch-Zwiebel-Verhältnis muss nämlich bei uns 1:1 sein. Unbedingt. Und da kann man gut ausrechnen, wie viele Zwiebeln die Oma schält und hackt. Wenn dann noch der Leopold mit Kleinfamilie anreist, um den Genuss des weltbesten Gulaschs brüderlich mit uns zu teilen, weint sie schon gut und gerne so an die zwei Stunden, die arme Oma. Mir persönlich treibt ja schon die bloße Anwesenheit vom Leopold das Wasser in die Augen. Und dann noch die Zwiebeln? Nein, danke! Da bleib ich lieber in meinem Saustall drüben, bis zum Essen gerufen wird. Und dann haben sich auch die Augen von der Oma wieder etwas erholt, und sie ist froh darüber. Das kann man schon verstehen irgendwie. Weil: wenn man schon nix hört, ist man umso froher, etwas zu sehen, gell. Ja. Nein, was ich eigentlich sagen wollte: Das Rahmgulasch von der Oma ist ein Traum. Auch wenn sie noch so flennt.

Kartoffelsalat (hammermäßig!)

Frisch gesottene Kartoffeln werden geschält und warm in feine Scheiben geschnitten. Salz, Pfeffer, etwas Zucker, fein gehackte Zwiebeln, Dill, Essig und Öl werden mit Brühe und einem Spritzer Sahne gut vermengt und unter die Kartoffeln gehoben. Man sollte nicht bei Salz und Brühe sparen, da die Kartoffeln sehr »durstig« sind. Besonders schmackhaft ist es, wenn Endivien oder Blattsalat untergemischt wird. Der Salat ist warm, aber auch kalt ein Genuss. In jedem Fall aber muss er im warmen Zustand zubereitet werden. Man reicht ihn gerne zu Würsteln oder Fischgerichten.

Ich persönlich brauch kein Würstel und erst recht kein Fischgericht dazu. Kartoffelsalat, und aus. Wenn mich mal irgendjemand fragt, wie ich mir die Ewigkeit vorstelle, würd ich sagen: Ich sitze mit dem Ludwig auf einer Wolke und schau hinunter auf die Welt. Der Ludwig hat einen Schweinsknochen im Maul, und ich sitze schulterhoch in einer Schüssel Kartoffelsalat. Kartoffelsalat von der Oma, versteht sich.

Lauchgemüse

Die Lauchstangen werden gewaschen und in feine oder breitere Streifen geschnitten. Einen Esslöffel Butter in einem Topf zum Schmelzen bringen und das Gemüse dazugeben. Man gibt beim Dünsten einen Spritzer Zitronensaft und etwas Zucker zu. Mit ein wenig Fleisch- oder Gemüsebrühe aufgießen und mit Salz und Pfeffer abschmecken. Am Ende nimmt man frisch geschnittene Petersilie dazu oder auch Schnittlauch. Kurz vor dem Servieren mengt man einen Spritzer Sauerrahm darunter. Der Lauch sollte noch bissfest sein.

Ein Lauchgemüse ist gut. Und natürlich ist es auch gesund. Besonders für die Verdauung. Deshalb ist dringend davon abzuraten, nach dem Genuss desselben kleinere oder größere Ausflüge zu planen. Zumindest sollte man bei der Planung eines Ausflugs die Anzahl der öffentlichen Toiletten im Auge haben. Unbedingt. Es kann nämlich zu derart plötzlichen Bedürfnissen kommen, dass keine Zeit zum Suchen ist. Nicht die geringste. Also vielleicht doch lieber daheim bleiben und hoffen, dass das Klo dann auch frei ist, wenn man es braucht.

Preiselbeerkompott

Die Beeren werden in ihrem eigenen Saft mit fast gleichviel Zucker, etwas Zitronenschale und einer ganzen Zimtstange zugedeckt gekocht. Auch kann man ein Gläschen Rotwein dazugeben. Vor dem Umfüllen wird die Zimtstange entfernt. Man kann das Kompott gleich warm zu sich nehmen oder in Einmachgläsern lagern. Es wird gerne zu Mehlspeisen oder aber auch Wild gereicht.

Ja, das mit den Einmachgläsern ist nett. Aber leider nur theoretisch. Praktisch ist es dann so, dass die Preiselbeerwolke auf Anhieb den Weg findet in meine Nasenlöcher. Und auch in die vom Papa. Und da kann uns die Oma noch so oft mit ihrem blöden Kochlöffel auf die Pranken schlagen, wir essen das Kompott warm. Und zwar sofort. Und auch ganz ohne Mehlspeis und Wild.

Ausnahmsweise und NUR wegen dem Titel noch ein aus-
ländisches Rezept:

Pasta à la Susi
(das einzig Erfreuliche von der Susi ihrer
Expedition nach Bella Italia)

Zwiebel schälen und in feine Würfel schneiden. Auberginen
und Zucchini waschen und ebenfalls würfeln. Champignons
putzen und vierteln. Die Mortadella in schmale Streifen
schneiden. Zwiebeln, Auberginen, Zucchini, Champignons
und Mortadella in Olivenöl anbraten. Knoblauch klein ge-
hackt und Tomatenmark zugeben und alles kurz anbraten.
Mit Weißwein ablöschen, anschließend passierte Toma-
ten unterheben. Alles zugedeckt bei schwacher Hitze kurz
dünsten. Makkaroni oder Tagliatelle im Salzwasser bissfest
kochen. Majoran fein hacken und mit Mascarpone unter
die Soße rühren. Mit Salz und Pfeffer abschmecken. Die
Nudeln abgießen und in eine Auflaufform geben. Darüber die Soße gleichmäßig verteilen. Mozzarella in dünne
Scheiben schneiden und auf dem Auflauf verteilen. Bei ca.
200 Grad im Ofen backen, bis der Käse bräunlich ist.

Wenn der Simmerl davon Wind bekommt, ist der Teufel los.
Der Simmerl hat nämlich keine Mortadella. Aus Prinzip
nicht. So ein Scheißdreck kommt ihm nicht ins Haus, sagt er.
Und darum muss ich natürlich nach Landshut zum Metzger,
da hilft alles nix. Ich schlag mir also den Kragen hoch und
setz die Sonnenbrille auf, schließlich kennt man sich unter den
Metzgern. Aber: Nicht weitersagen! Bitte! Wenn der Sim-

merl erfährt, dass ich meine Wurst in Landshut kauf, ist es aus mit der Freundschaft. Wobei ich jetzt schon sagen muss, ein Drama wär das jetzt auch wieder nicht. Wenn ich die Wahl hätte zwischen Pasta à la Susi und Simmerl, ich weiß nicht ...

Danke

Liebe Eberhofer-Fans,

dieses Mal möchte meine Belegschaft ein paar Worte los-
werden, schließlich sind die alle ja auch nicht ganz unwich-
tig in meinen Geschichten. Und da sowieso noch ein Blatt
frei war, lassen wir sie hier mal zu Wort kommen …

Die Oma
Also, erst war mir das ja nicht recht, dass der Bub einfach
Gott und der Welt erzählt, wie's bei uns daheim so zugeht.
Weil: Was geht jetzt das eigentlich wildfremde Leut an?
Besonders, wo ja manch einer wirklich einen Schlag hat.
Ja, jeder spinnt auf seine Weise, der eine laut, der andere
leise. Mein Sohn, der spinnt zum Beispiel ziemlich laut. Mit
seiner depperten Musik. Aber ich kann's Gott sei Dank gar
nicht hören. Dafür hört's der Bub umso besser. Der arme
Franz halt. Ja. Nein, was ich eigentlich sagen wollte, mittlerweile find ich's gar nicht mehr so schlecht, dass uns so
viele kennen. Besonders beim Einkaufen. Wenn ich nämlich sag, dass ich die Eberhofer-Oma bin, ja, was meinst
denn du, wie viel Prozente dass es dann gibt!

Der Papa
Der Franz hat seine Mama nicht mehr kennen gelernt. Das
ist besonders schade, weil er ganz genauso ist, wie sie zu
Lebzeiten war. Ganz genauso, wirklich. Aber das sag ich
ihm natürlich nicht. Weil er sich sonst bloß noch was ein-

bildet drauf. Weiß er doch ganz genau, wie sehr sie mir fehlt. Der Leopold, der kommt mehr nach mir, könnte man sagen.

Der Leopold

Also, erstens find ich das ja alles komplett übertrieben. Dieses ganze Remmidemmi um den Franz. Was macht der denn schon groß? Wenn ich bedenke, was ich oft für einen Stress hab in meiner Buchhandlung. Mit all diesen Bestsellern und so. Und zweitens ... zweitens möchte ich eines mal klarstellen: Ich bin keine Schleimsau. Nicht im Geringsten. Das macht er mir mit Fleiß, der Franz. Weil er halt überhaupt gern im Mittelpunkt steht. Aber jetzt hab ich keine Zeit mehr. Muss mich um den Papa kümmern.

Der Moratschek

Der Eberhofer, ja, der schießt schon mal übers Ziel hinaus, gar keine Frage. Und man muss ihn schon oft schwer im Zaum halten. Aber in diesem ganz speziellen Fall, da hat er sich großartig geschlagen. Und, um mit so einem Psychopathen fertig zu werden, ja, da braucht's schon ein gewisses Näschen. Apropos, wo ist mein Tabak?

Die Susi

Mich würd ja bloß einmal interessieren, wann er es endlich mal kapiert, der Franz. Dass er so eine wie mich sowieso nie mehr kriegt. Und dass er auch nicht mehr der Jüngste ist. Und sowieso endlich mal ans Heiraten denken sollte. Da macht er immer ein Mordsgeschiss um dem Leopold seine Tochter, und selber ... selber will er keine Kinder. Da soll einer draus schlau werden ...

Und natürlich die Rita und der Franz

Danke an das wunderbare Geleit, das uns auch durch diese Geschichte gefolgt ist. Nämlich unseren Lesern, copywrite und <u>dtv</u>.